MON GRAND ALBUM DE MOTS

Angela Wilkes

Scholastic Canada Ltd.

Direction éditoriale J. Yorke

Direction artistique R. Priddy, P. Britchfeld

Photographie D. King, T. Tidley

Illustrations P. Thorne

Conseiller pédagogique B. Root

Adaptation française A. Bergère

Coordination Larousse O. Dénommée

DK

Un livre de Dorling Kindersley

Table des matières

C'est moi!   4

Mes habits   6

À la maison   8

Les objets familiers   10

Tout pour cuisiner   12

Bon appétit!   14

Je fais ma toilette   16

J'aime jardiner   18

Je veux bricoler   20

Une journée en ville   22

Données de catalogage avant publication (Canada)

Wilkes, Angela

Mon grand album de mots

Traduction de : My first word book.

ISBN 0-590-74158-6

1. Dictionnaires illustrés français - Ouvrages pour la jeunesse.
I. Throne. Pat. II. Titre.

PC2629. W5 1991 j443'.1 C91-095133-0

ISBN 0-590-74158-6

Titre original : My First Word Book

Édition originale publiée en 1991 en Angleterre par Dorling Kindersley Limited. Exclusivité en Amérique du Nord : Scholastic Canada Ltd., 123, Newkirk Road, Richmond Hill (Ontario) Canada L4C 3G5

Au parc pour s'amuser 24

Au marché 26

En voiture! 28

Tout ce qui bouge 30

À la campagne 32

En forêt 34

À la ferme 36

Mes amis les animaux 38

Une visite au zoo 40

Mes jouets 42

À l'école 44

À la mer 46

Le temps 48

Mes sports préférés 50

Quoi faire? 52

C'est l'heure de jouer 54

Drôles de personnages 55

Connais-tu… 56

Pour te situer 58

Le contraire de…c'est 60

Index 62

C'est moi!

Mon visage

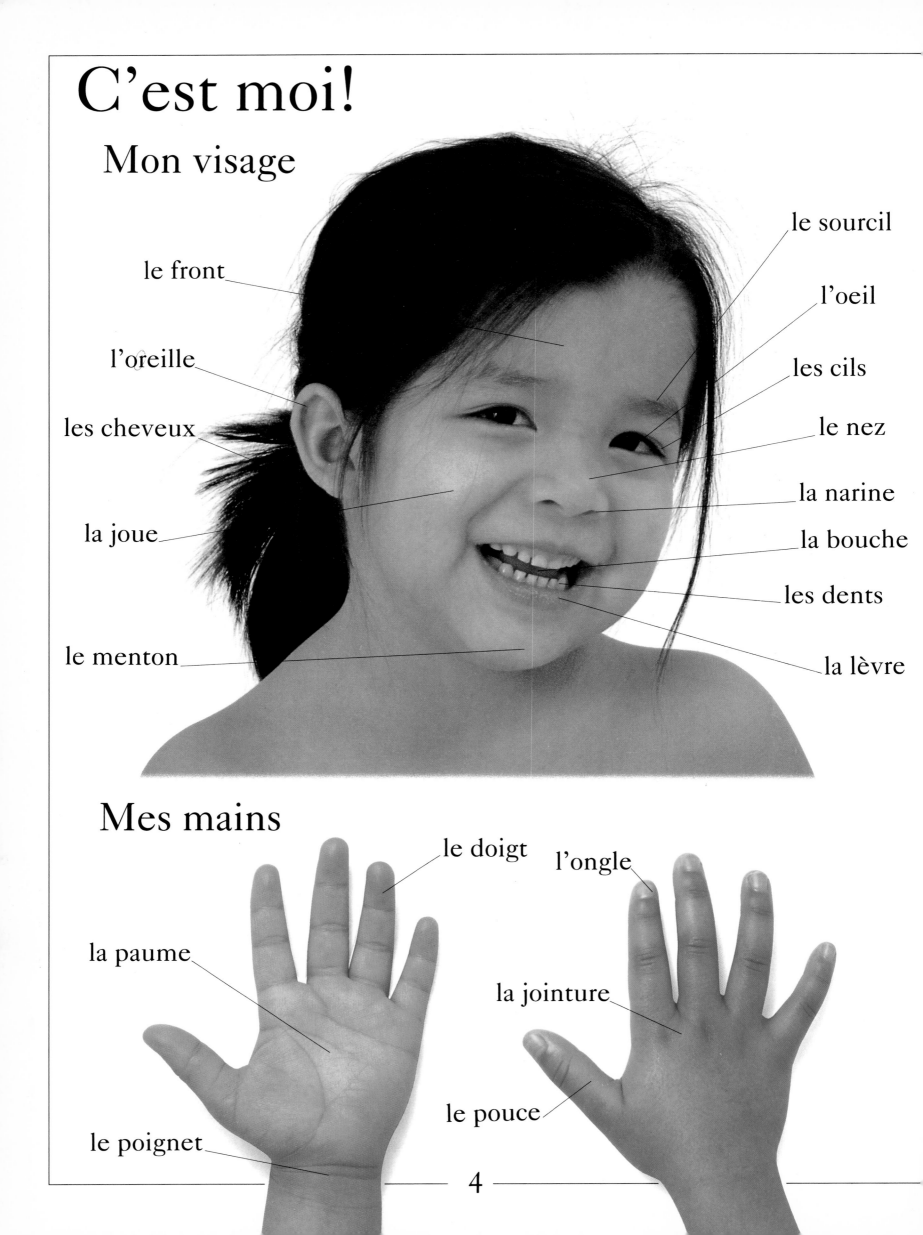

le sourcil

le front

l'oeil

l'oreille

les cils

les cheveux

le nez

la narine

la joue

la bouche

les dents

le menton

la lèvre

Mes mains

le doigt

l'ongle

la paume

la jointure

le pouce

le poignet

4

Mon corps

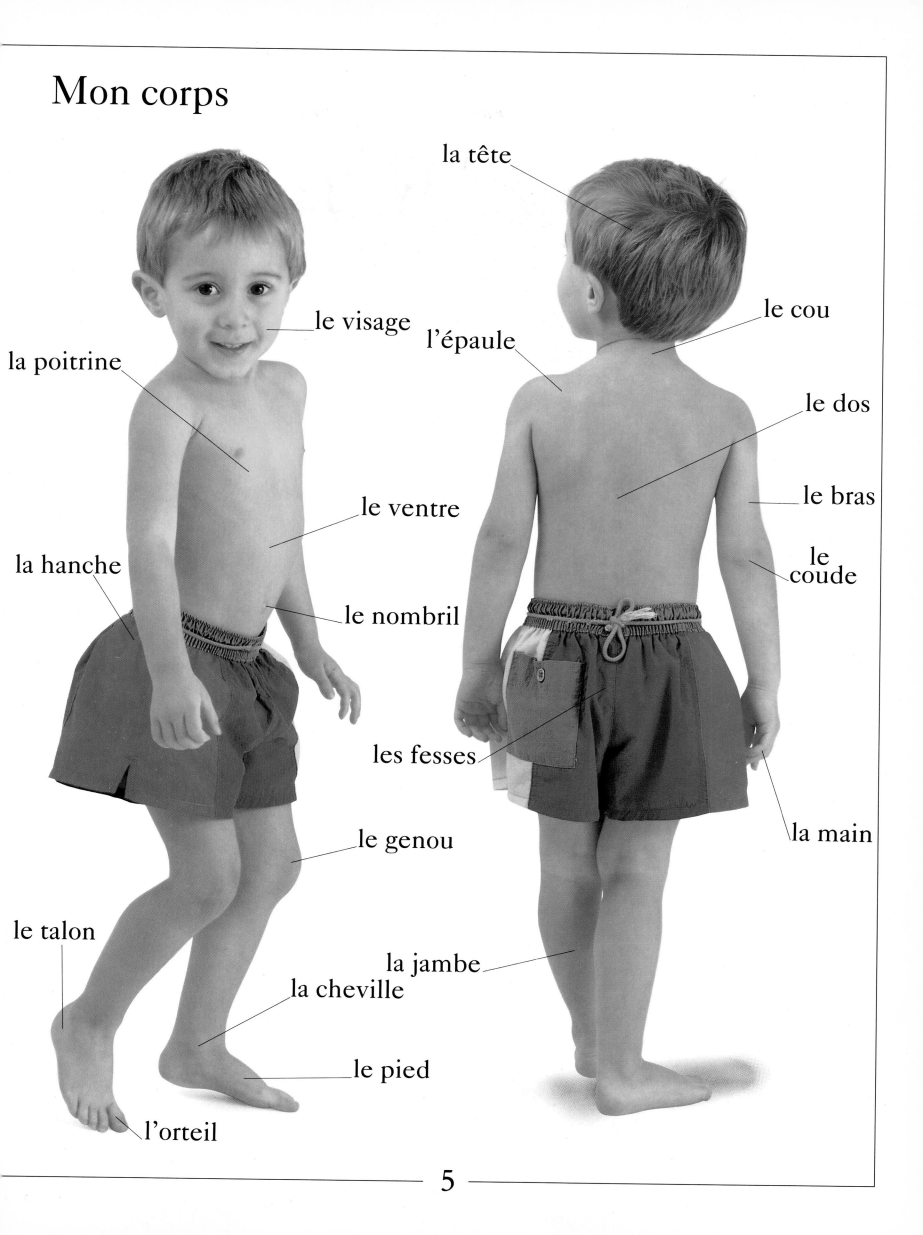

la tête

le visage

la poitrine

l'épaule

le cou

le dos

le ventre

le bras

la hanche

le coude

le nombril

les fesses

la main

le genou

le talon

la jambe

la cheville

le pied

l'orteil

5

Mes habits

les boutons

l'anorak

la boucle

la ceintu

le cardigan

le pantalon

les bretelles

le jean

la salopette

le chapeau de paille

la tuque

le slip

le pyjama

le collier

le tee-shirt

le short

la montre

les chaussettes

les pantoufle

les chaussures

les tennis

les sandales

la culotte

le maillo de corps

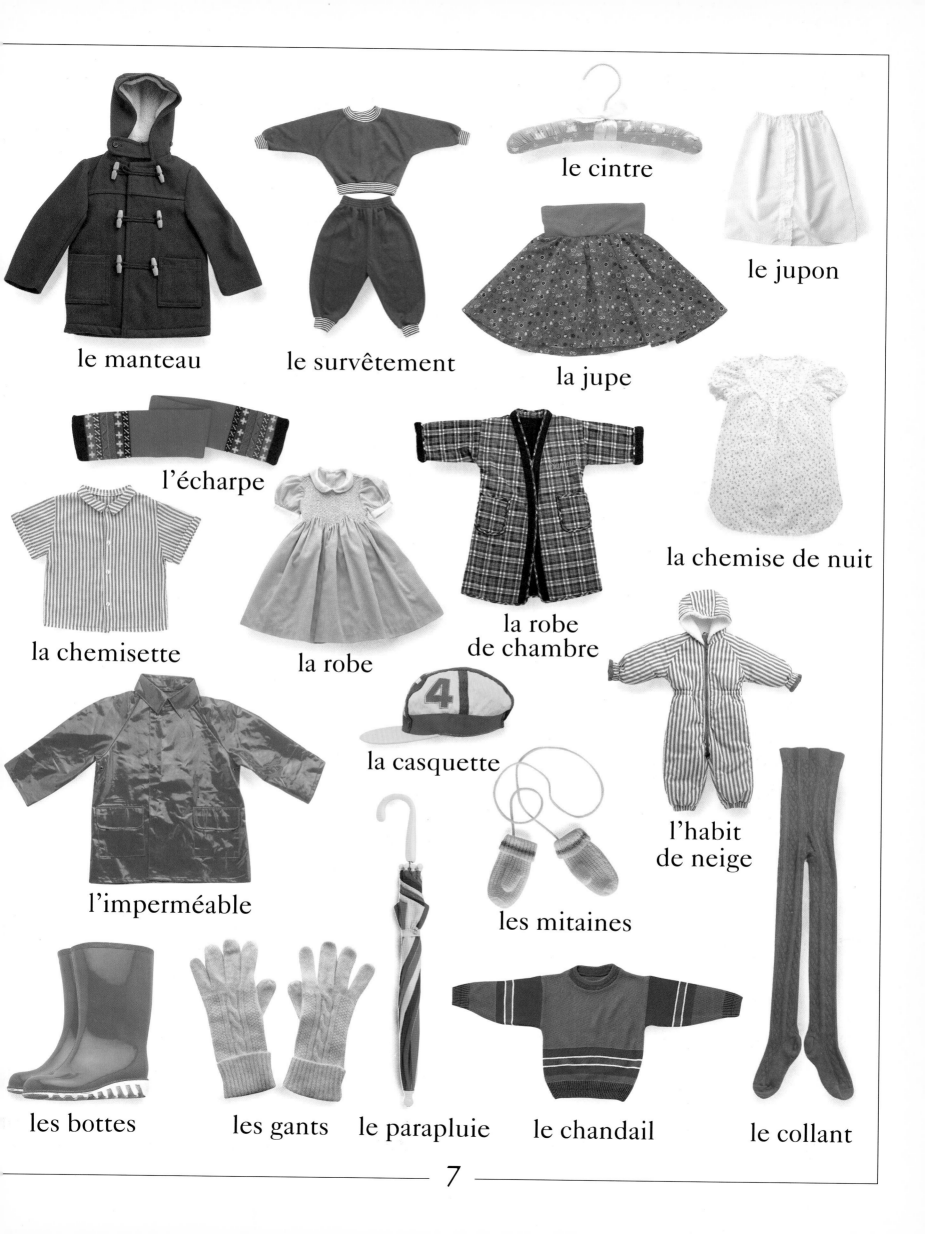

le manteau

le survêtement

le cintre

le jupon

la jupe

l'écharpe

la chemisette

la robe

la robe
de chambre

la chemise de nuit

la casquette

l'habit
de neige

l'imperméable

les mitaines

les bottes

les gants

le parapluie

le chandail

le collant

À la maison

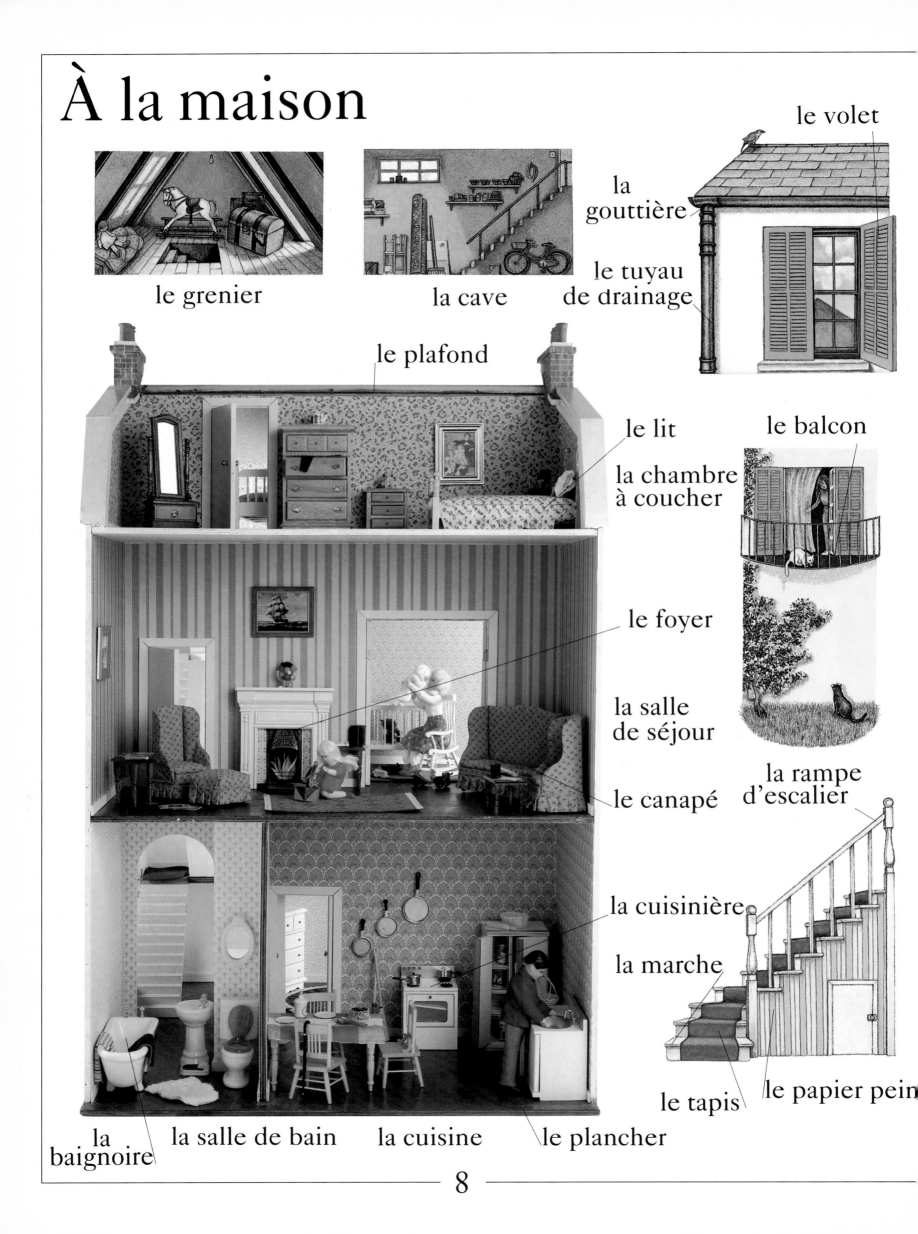

le volet

la gouttière

le tuyau de drainage

le grenier

la cave

le plafond

le lit

le balcon

la chambre à coucher

le foyer

la salle de séjour

la rampe d'escalier

le canapé

la cuisinière

la marche

la baignoire

la salle de bain

la cuisine

le plancher

le tapis

le papier pein

le garage

la cheminée

le toit

la haie

l'allée

la fenêtre

le bac à fleurs

le porche

les marches

le mur

la porte

l'appui de fenêtre

La famille

grand-père   la grand-mère   le père   la mère   la fille   le fils

Les objets familiers

le téléphone

le séchoir à cheveux

le canapé

les rideaux

la radio

le livre

le radiateur

le tableau

le tourne-disque

le tabouret

l'aspirateur

la bibliothèque

le paillasson

la machine à coudre

le fauteuil

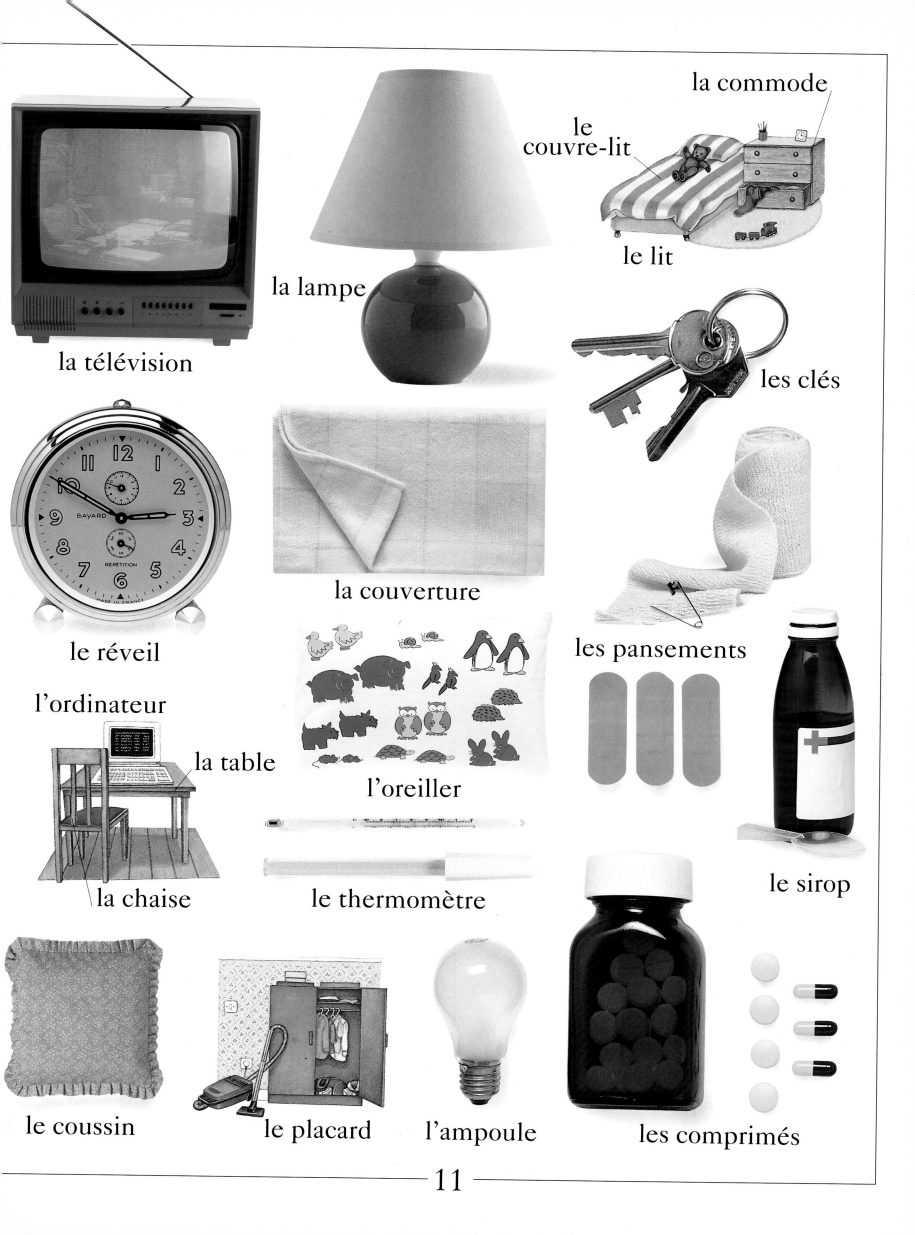

la télévision

la lampe

le couvre-lit

la commode

le lit

les clés

le réveil

la couverture

les pansements

l'ordinateur

la table

l'oreiller

le sirop

la chaise

le thermomètre

le coussin

le placard

l'ampoule

les comprimés

11

Tout pour cuisiner

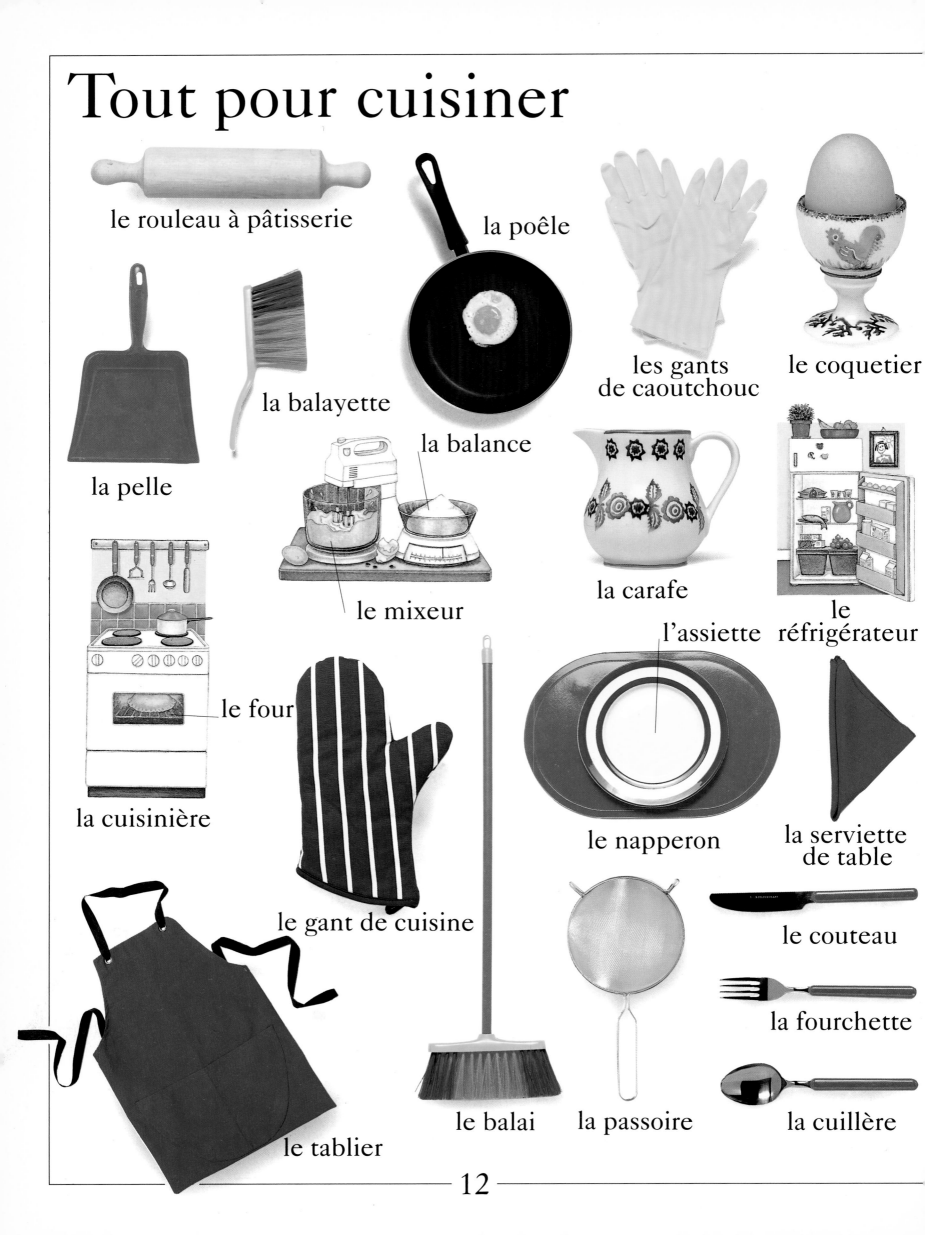

le rouleau à pâtisserie

la poêle

les gants de caoutchouc

le coquetier

la balayette

la pelle

la balance

le mixeur

la carafe

le réfrigérateur

l'assiette

le four

la cuisinière

le gant de cuisine

le napperon

la serviette de table

le couteau

la fourchette

le balai

la passoire

la cuillère

le tablier

12

la bouilloire

la machine
à laver

la vadrouille

le verre

le bol de céréales

la tasse

la chope

la passoire

la soucoupe

les allumettes

l'évier

l'égouttoir

la théière

le moule à gâteau

la casserole

la poubelle

le placard

les moules à biscuit

la planche
à repasser

le grand bol

la chaise haute

le fer à repasser

Bon appétit!

les tartelettes

les pommes

les hot-dogs

le miel

le sucre

les poires

la salade

les amandes

les petits pois

le maïs

les tomates

les biscuits

la pizza

le hamburger

les frites

le lait

le jus d'orange

le beurre

le sandwich

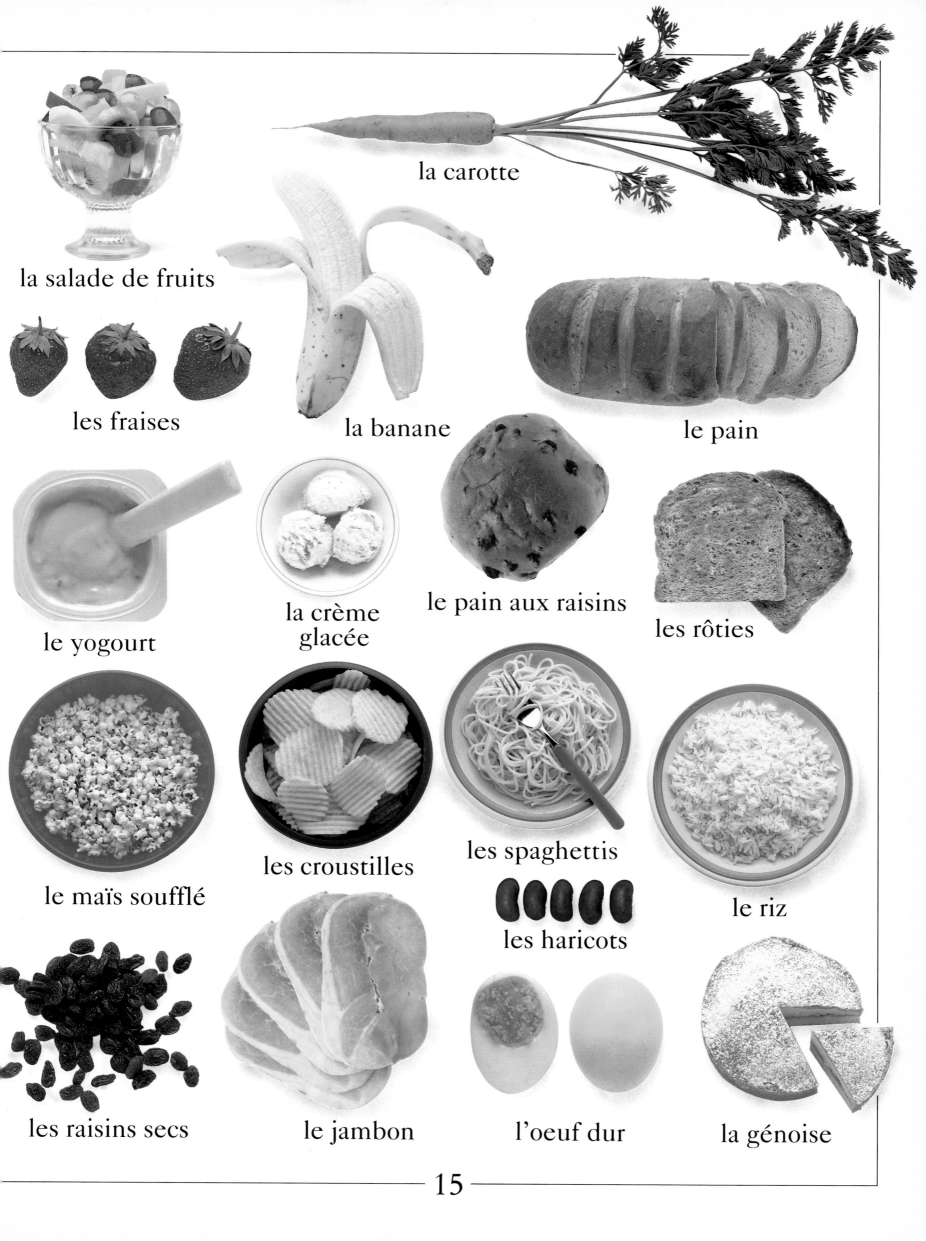

la salade de fruits

la carotte

les fraises

la banane

le pain

le yogourt

la crème glacée

le pain aux raisins

les rôties

le maïs soufflé

les croustilles

les spaghettis

le riz

les haricots

les raisins secs

le jambon

l'oeuf dur

la génoise

Je fais ma toilette

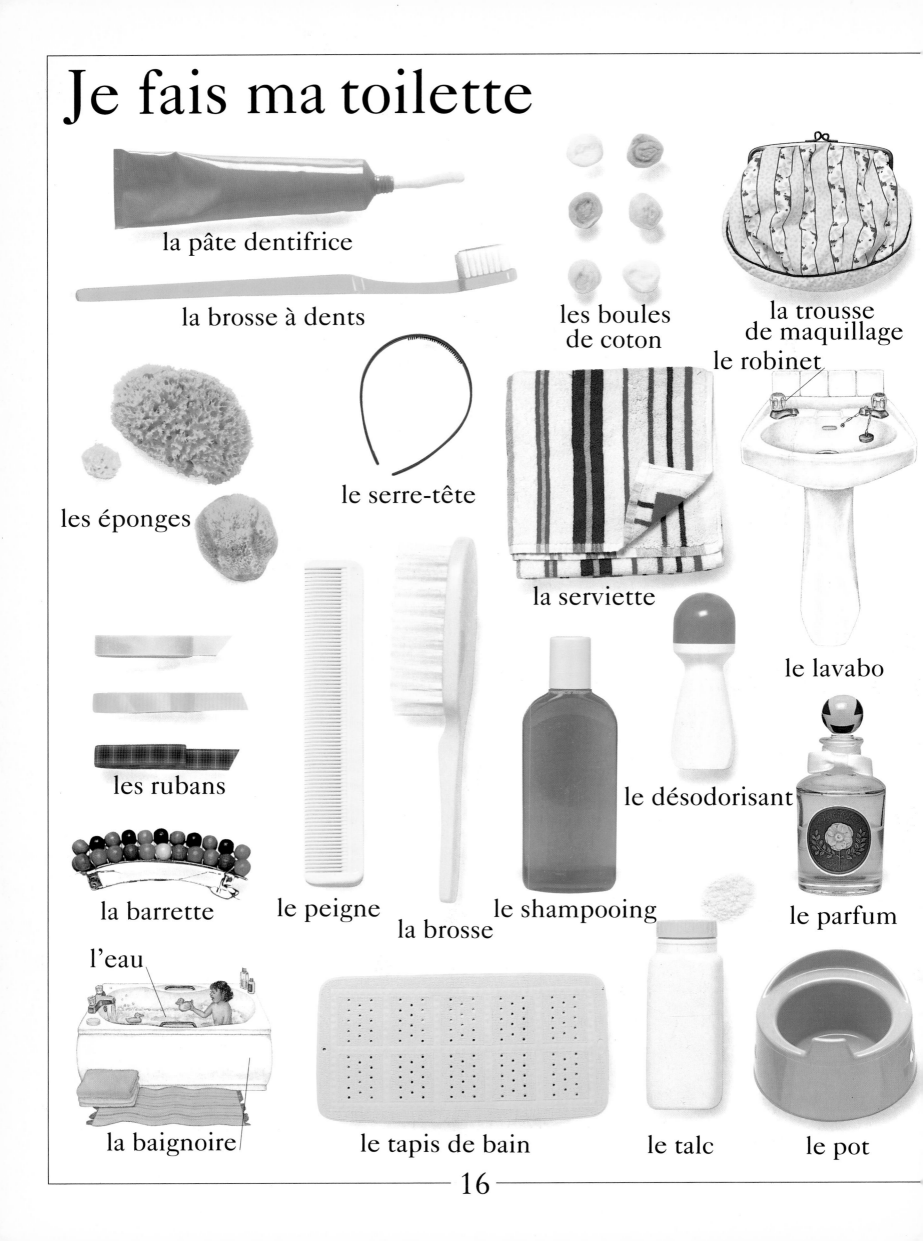

la pâte dentifrice

la brosse à dents

les boules de coton

la trousse de maquillage

le robinet

les éponges

le serre-tête

la serviette

le lavabo

les rubans

le désodorisant

la barrette

le peigne

la brosse

le shampooing

le parfum

l'eau

la baignoire

le tapis de bain

le talc

le pot

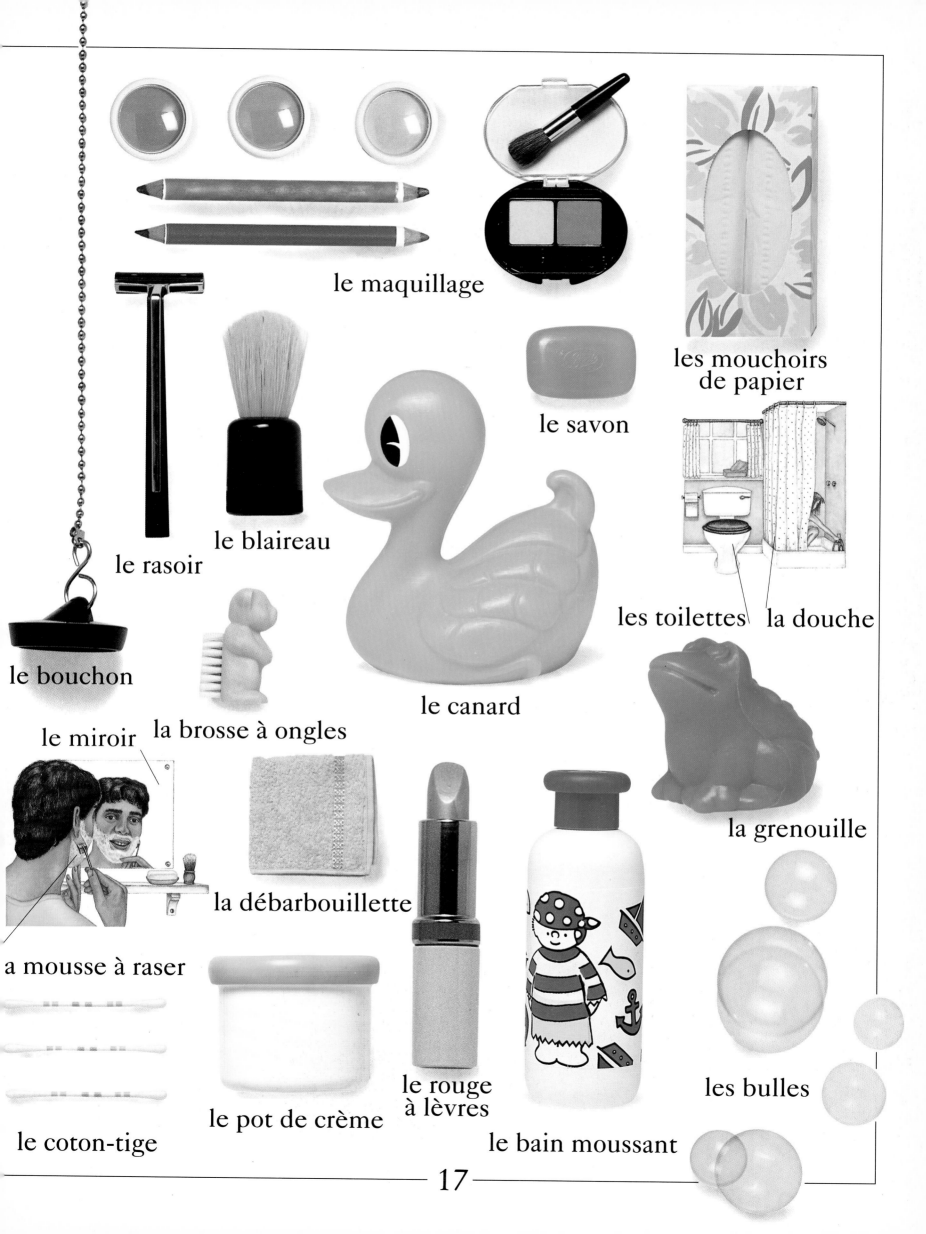

le maquillage

les mouchoirs
de papier

le savon

le rasoir

le blaireau

les toilettes   la douche

le bouchon

le canard

le miroir

la brosse à ongles

la grenouille

la mousse à raser

la débarbouillette

le rouge
à lèvres

les bulles

le coton-tige

le pot de crème

le bain moussant

17

J'aime jardiner

la fleur

le pétale

la tige

les outils de jardin

les tuteurs

le sécateur

la pelou

la tondeuse

les pots de fleurs

la rose

la ficelle

la guêpe

la terre

les pensées

la coccinelle

les bulbes

le tournesol

les semis

les jonquilles

le papillon

l'abeille

l'arrosoir

la plante
en pot

les graines

la bêche

le râteau

les tulipes

les mauvaises
herbes

les fourmis

le gazon

la brouette

les vers
de terre

la serre

les capucines

l'escargot

le tuyau d'arrosage

Je veux bricoler

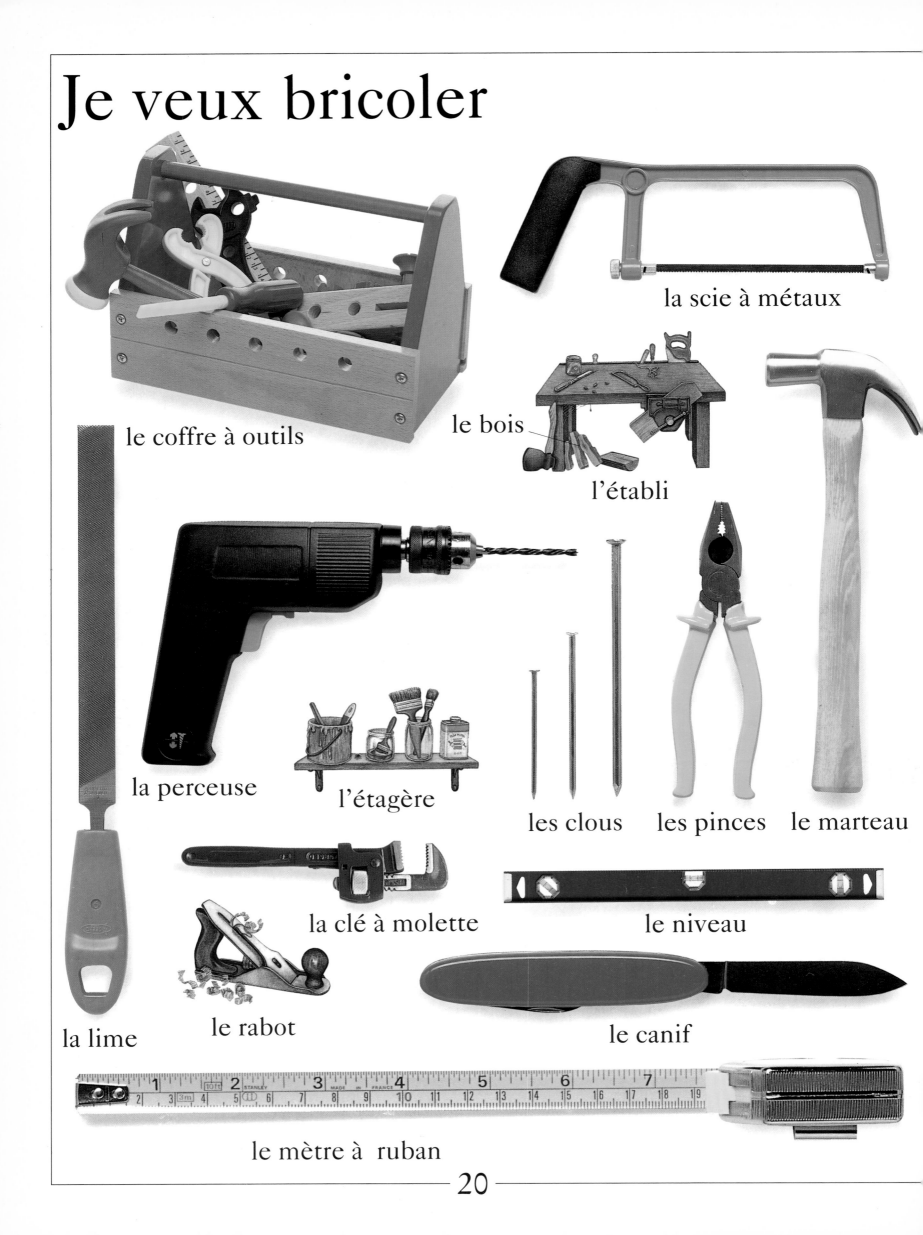

la scie à métaux

le coffre à outils

le bois

l'établi

la perceuse

l'étagère

les clous   les pinces   le marteau

la clé à molette

le niveau

la lime   le rabot

le canif

le mètre à ruban

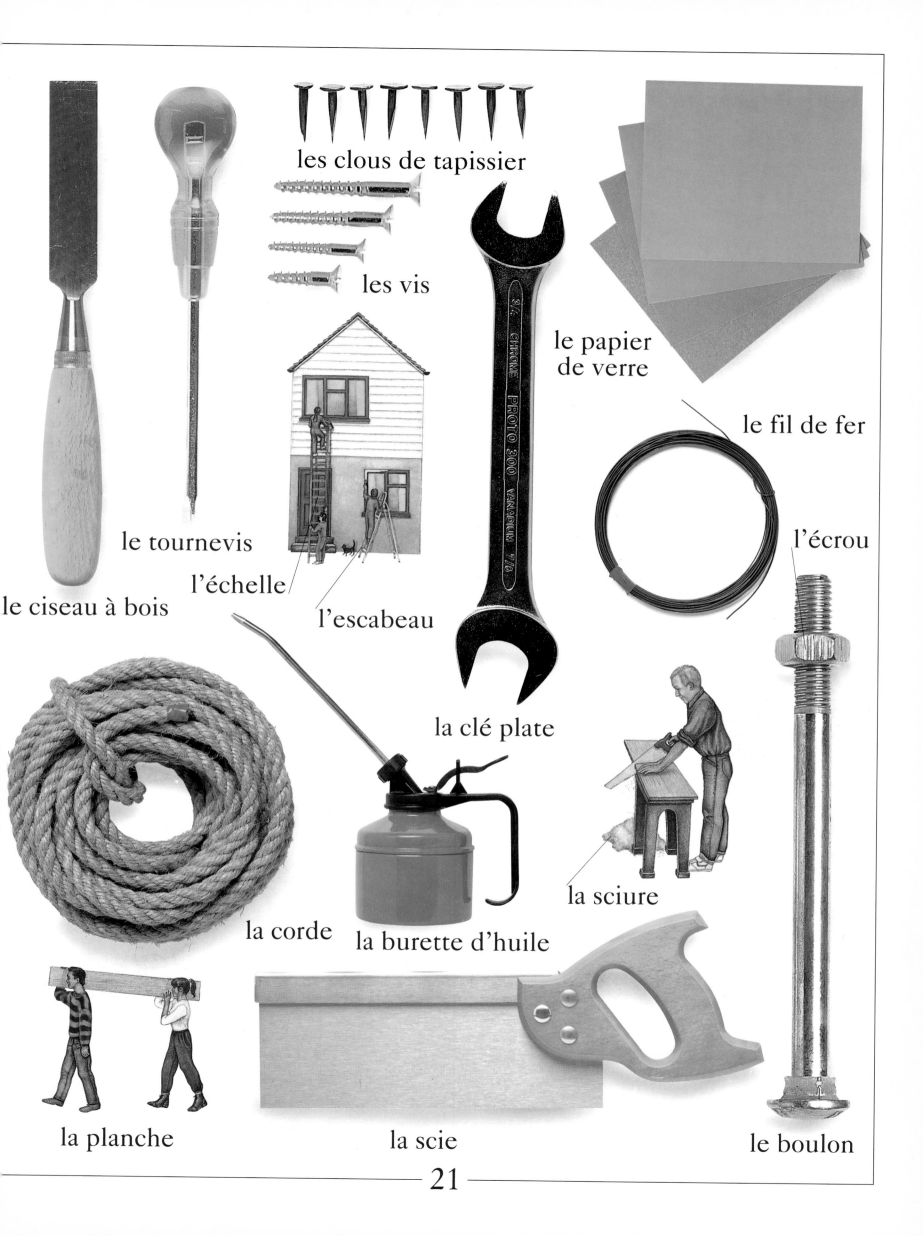

les clous de tapissier

les vis

le papier de verre

le fil de fer

le tournevis

l'échelle

l'escabeau

l'écrou

le ciseau à bois

la clé plate

la sciure

la corde

la burette d'huile

la planche

la scie

le boulon

21

Une journée en ville

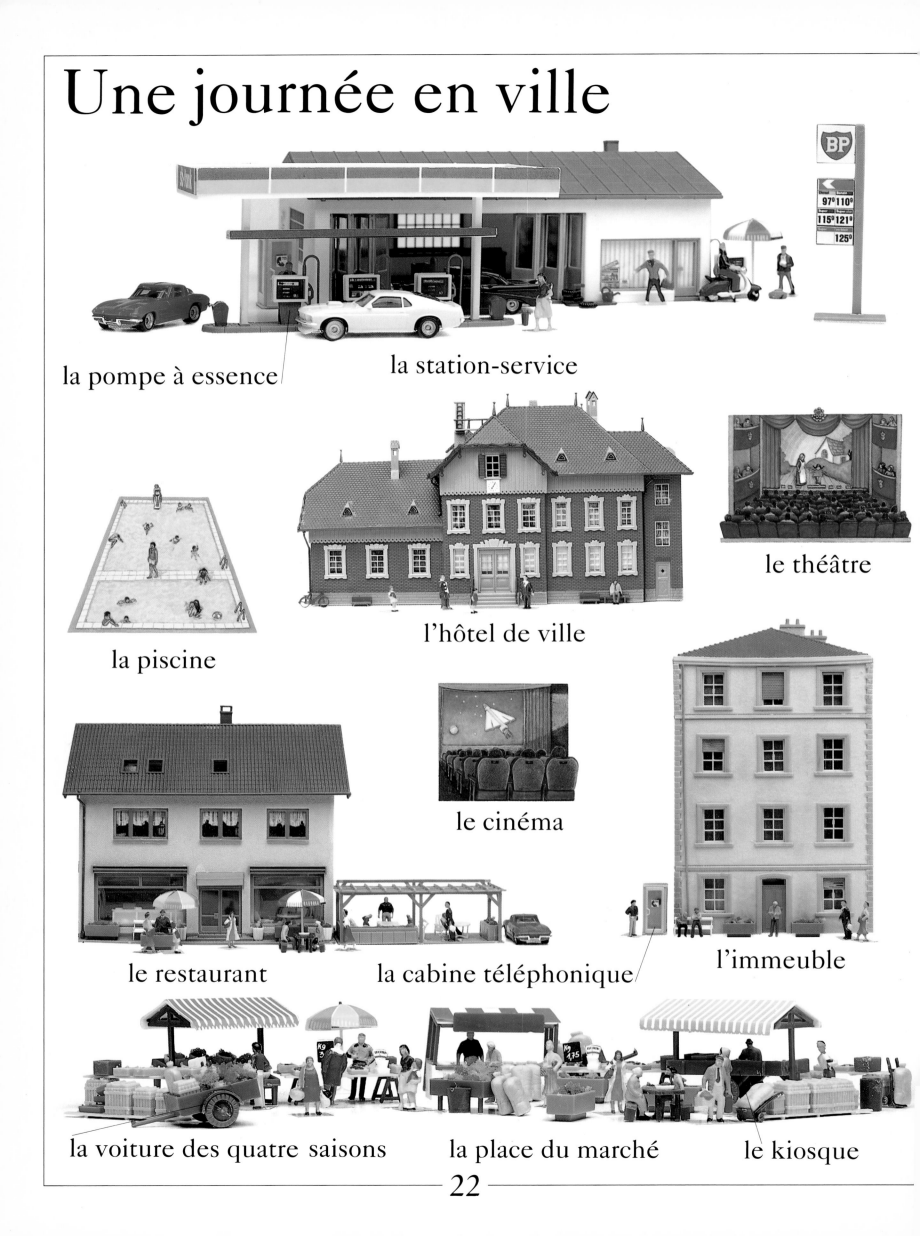

la pompe à essence

la station-service

la piscine

l'hôtel de ville

le théâtre

le cinéma

le restaurant

la cabine téléphonique

l'immeuble

la voiture des quatre saisons

la place du marché

le kiosque

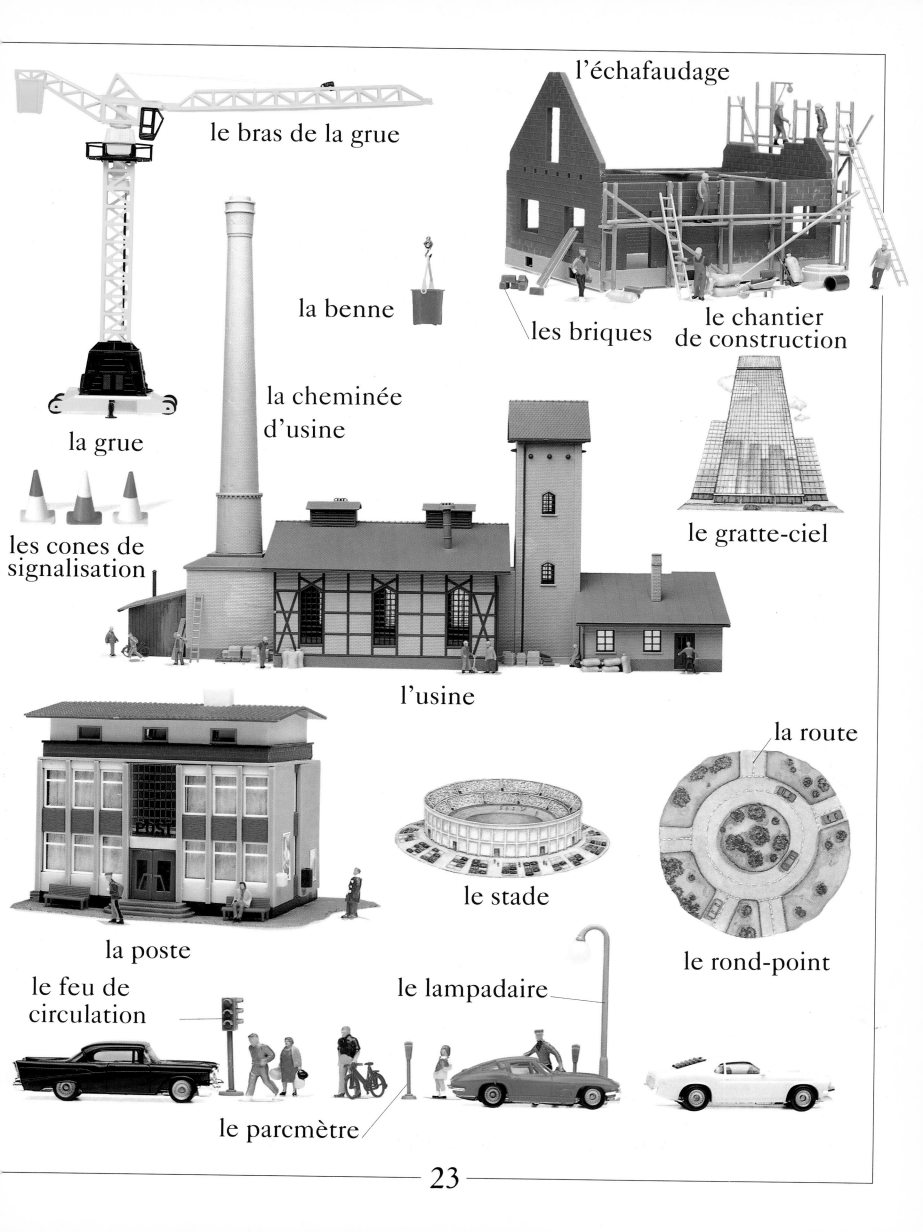

le bras de la grue

l'échafaudage

la benne

les briques

le chantier
de construction

la grue

la cheminée
d'usine

les cones de
signalisation

le gratte-ciel

l'usine

la poste

la route

le stade

le rond-point

le feu de
circulation

le lampadaire

le parcmètre

23

Au parc pour s'amuser

le panier
à pique-nique

le pique-nique

la statue

le banc

la fontaine

les fleurs

la poussette

les enfants

le tricycle

le cerf-volant

le bac à sable

les patins à roulettes

le tournique

la corde à sauter

la planche à roulettes

le cygne

le jeune cygne

la cage à poules

la balançoire

le toboggan

la bascule

les pigeons

le vendeur
de crème glacée

le landau

le thermos

la boîte à lunch

Au marché

le panier à provisions

les céréales

l'huile

les bonbons

le détergent

le pot de confiture

la farine

le café

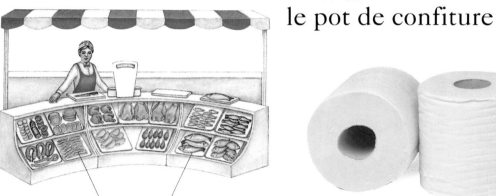
la viande   le poisson

le papier de toilette

Les fruits

le raisin

les pêches

les cerises

l'ananas

le citron

l'orange

les framboises

les cassis

la tablette
de chocolat

les boîtes
de conserve

le chariot

le détersif

la caisse
enregistreuse

la caissière

les bouteilles
le chéquier

les fromages

le porte-
monnaie

l'argent

le carton

la caisse

le sac
en papier

Les légumes

les haricots verts

le céleri

le poivron vert

l'oignon

les courgettes

le chou

les pommes de terre

le concombre

la salade

En voiture!

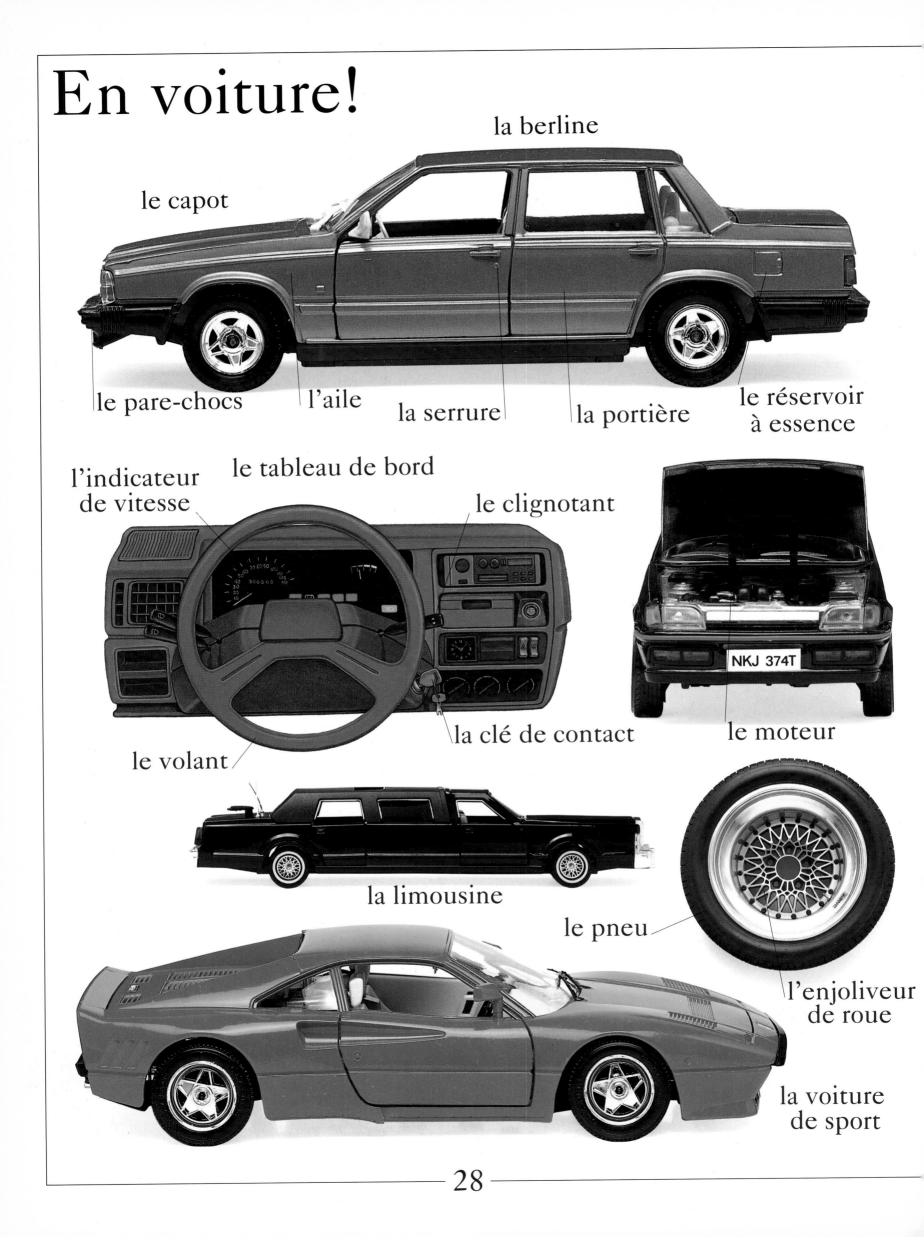

la berline

le capot

le pare-chocs

l'aile

la serrure

la portière

le réservoir à essence

l'indicateur de vitesse

le tableau de bord

le clignotant

le volant

la clé de contact

le moteur

NKJ 374T

la limousine

le pneu

l'enjoliveur de roue

la voiture de sport

28

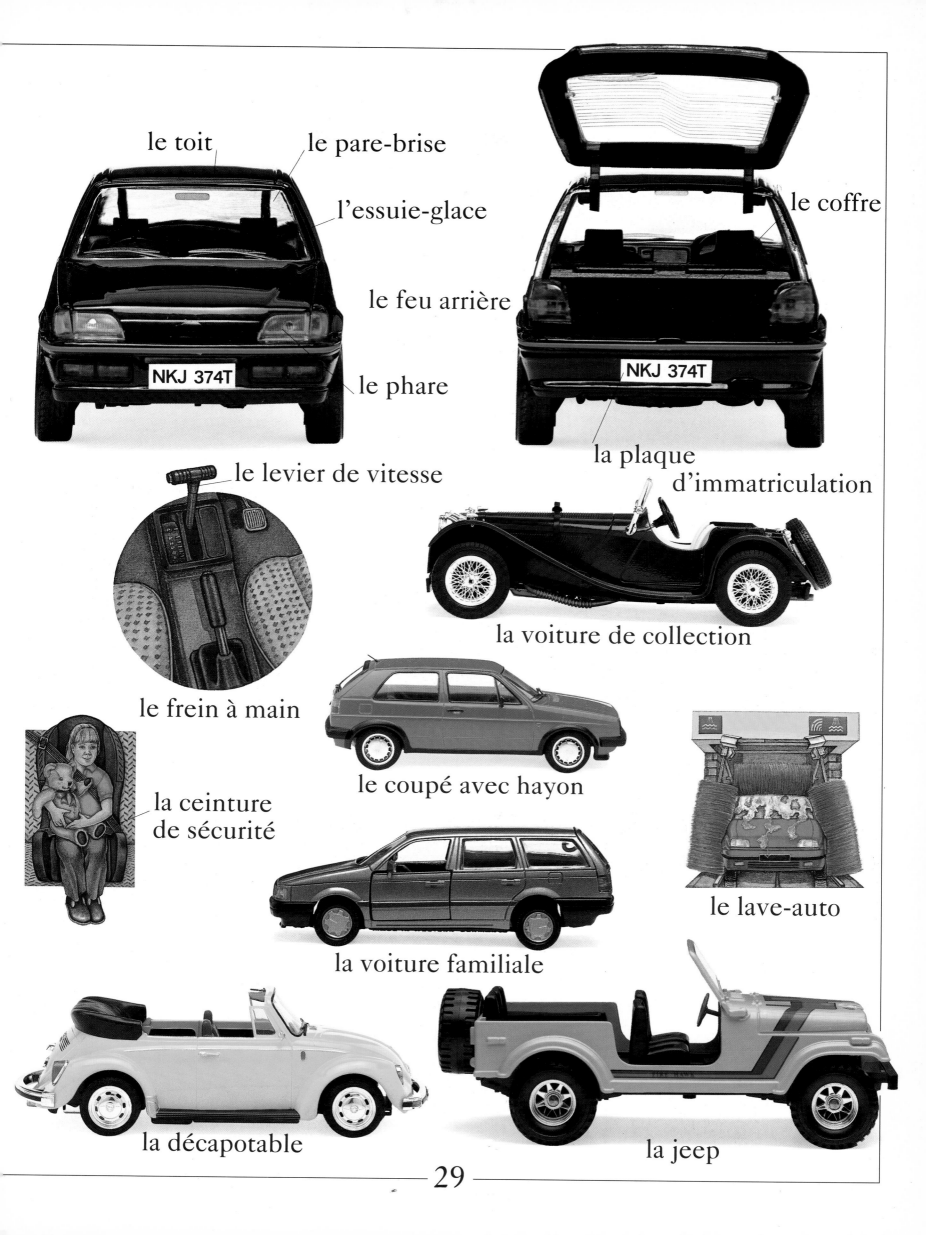

le toit

le pare-brise

l'essuie-glace

le coffre

le feu arrière

le phare

la plaque
d'immatriculation

le levier de vitesse

le frein à main

la voiture de collection

la ceinture
de sécurité

le coupé avec hayon

le lave-auto

la voiture familiale

la décapotable

la jeep

29

Tout ce qui bouge

la bicyclette

la pelleteuse

le scooter

l'automobile

le traversier

le camion

le taxi

le bateau

le dirigeable

le bulldozer

le sous-marin

les wagons

les parachutes

la motocyclette

la voie ferrée

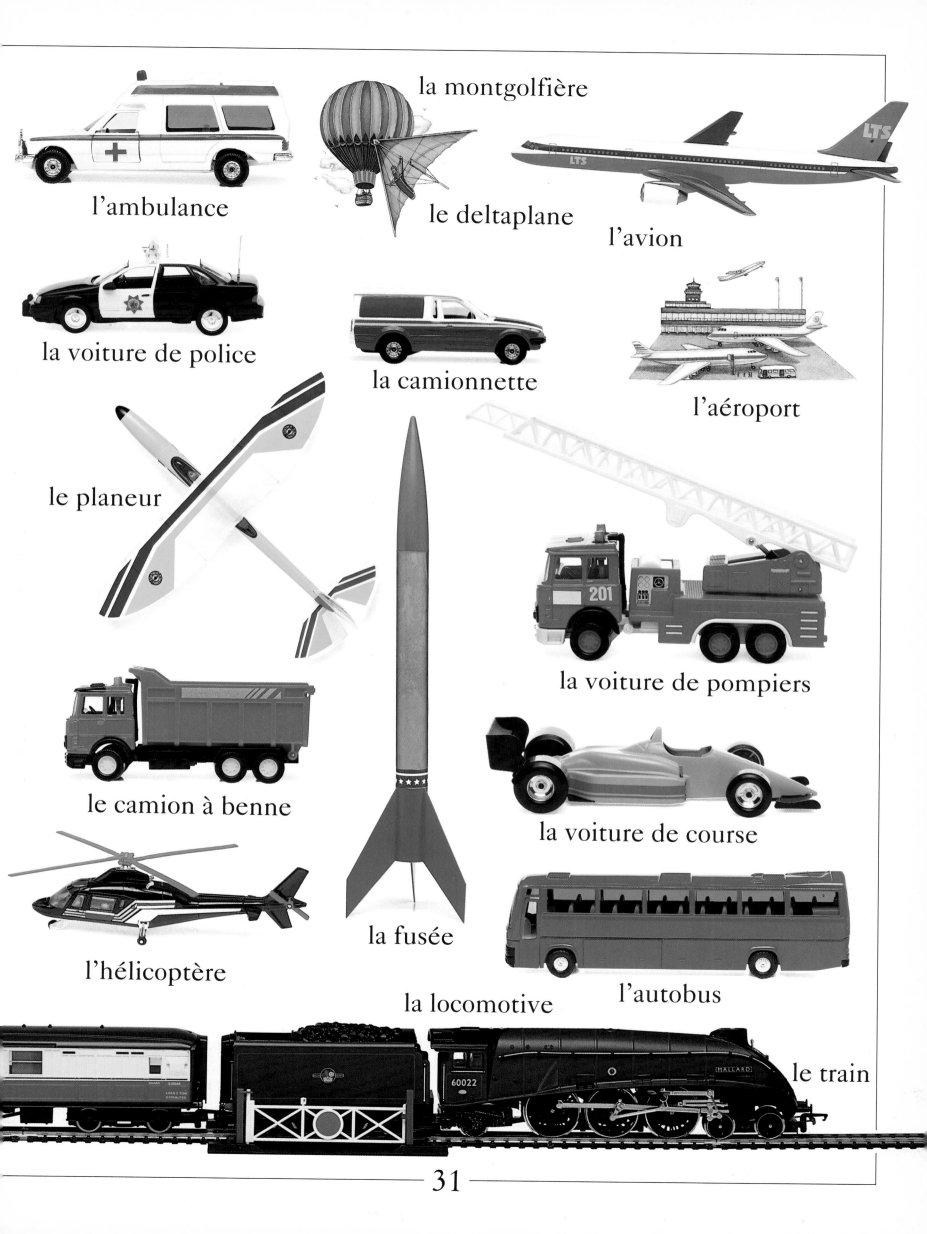

l'ambulance

la montgolfière

le deltaplane

l'avion

la voiture de police

la camionnette

l'aéroport

le planeur

la voiture de pompiers

le camion à benne

la fusée

la voiture de course

l'hélicoptère

la locomotive

l'autobus

le train

À la campagne

le lapin

le verger

le village

la libellule

les nénuphars

le ruisseau

la montagne

la vallée

le lac

l'île

les collines

le pont

la rivière

les fougères

le crapaud

les champignons

la route

les mûres

le renard

la roulotte

la tente

le camping

la chute d'eau

le pissenlit

les boutons d'or

les marguerites

En forêt

l'arbre

les glands

les prunes

les pomme de pin

la plante en fleur

les baies

les aiguilles de p

la branche

l'écureuil

les oeufs d'oiseau

l'oiseau

les oisillons

la branche

le nid d'oiseau

le hibou

34

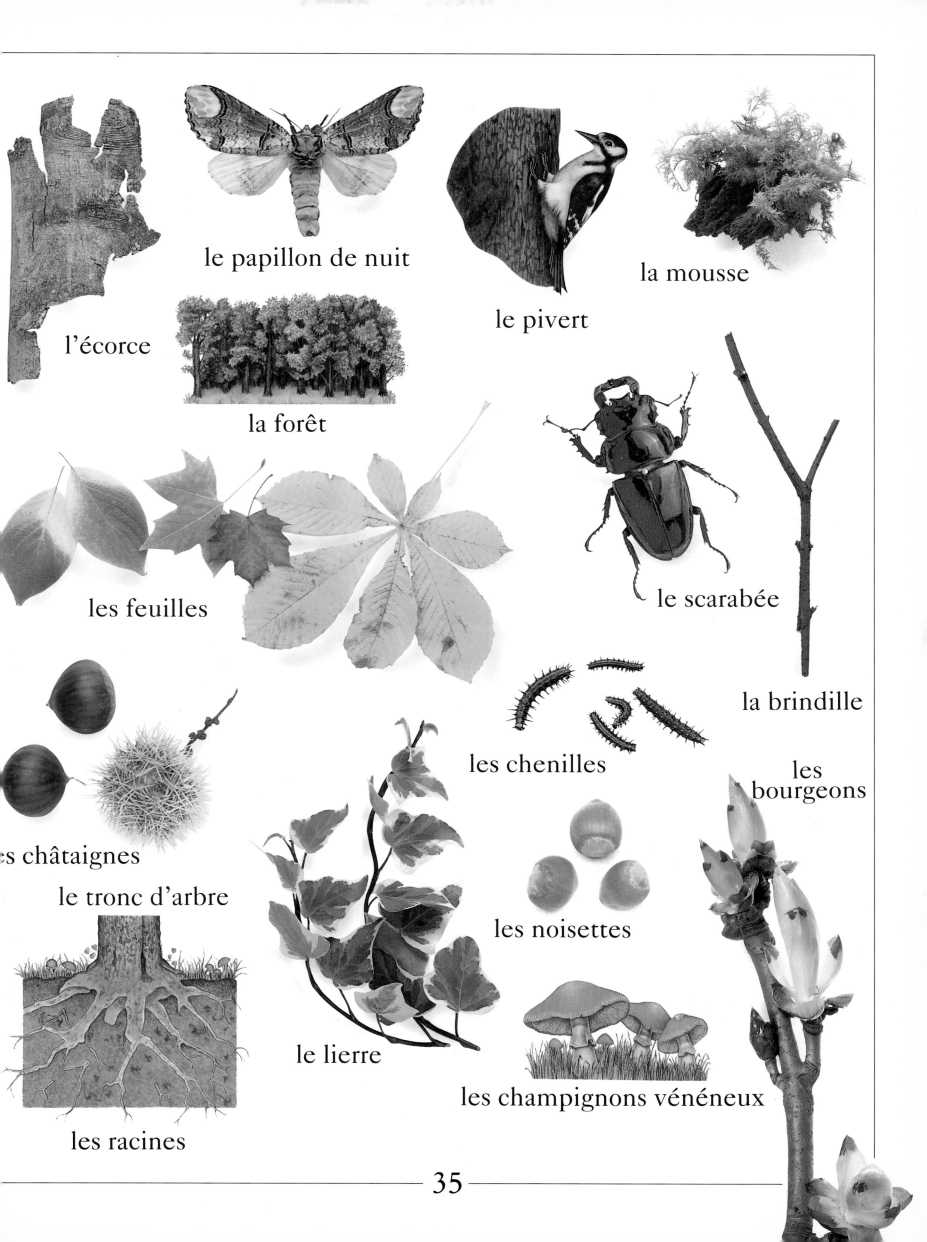

l'écorce

le papillon de nuit

le pivert

la mousse

la forêt

les feuilles

le scarabée

la brindille

les chenilles

les bourgeons

les châtaignes

le tronc d'arbre

les noisettes

le lierre

les champignons vénéneux

les racines

À la ferme

la basse-cour

l'abreuvoir

le cheval

la ferme

l'oie

le pré

la clôture

la truie

les porcelets

l'agneau

le mouton

la porcherie

la chèvre

les bottes de foin

le champ de blé

la barrière

le tracteur

la remorque

le taureau

le veau

la vache

le poulailler

le poussin

l'écurie

la poule

la mare

le coq

le chien

les canetons

la cane

la grange

la moissonneuse-batteuse

la charrue

37

Mes amis les animaux

les hamsters

la carapace

la tortue

les moustaches

les perroquets

le bec

les têtards

le chat

la queue

les plumes

le cochon d'Ind

les poissons
rouges

l'aquarium

les chiots

le collier

la laisse

l'os

le poil

la souris

le perchoir

la patte

le chien

les chatons

le canari

la corbeille

la cage

la crinière

le sabot

le poney

l'aile

les griffes

la perruche

39

Une visite au zoo

le crocodile

les écailles

le pélican

le paon

le kangourou

le léopard

la nageoire

les cornes

le dauphin

l'hippopotame

la gazelle

le requin

le tigre

le chimpanzé

l'autruche

la girafe

l'ours

le lézard

le rhinocéros

le pingouin

le dromadaire

le panda

l'ours polaire

le bison

le koala

la défense

la trompe

l'éléphant

le lion

le serpent

le zèbre

le tamanoir

41

Mes jouets

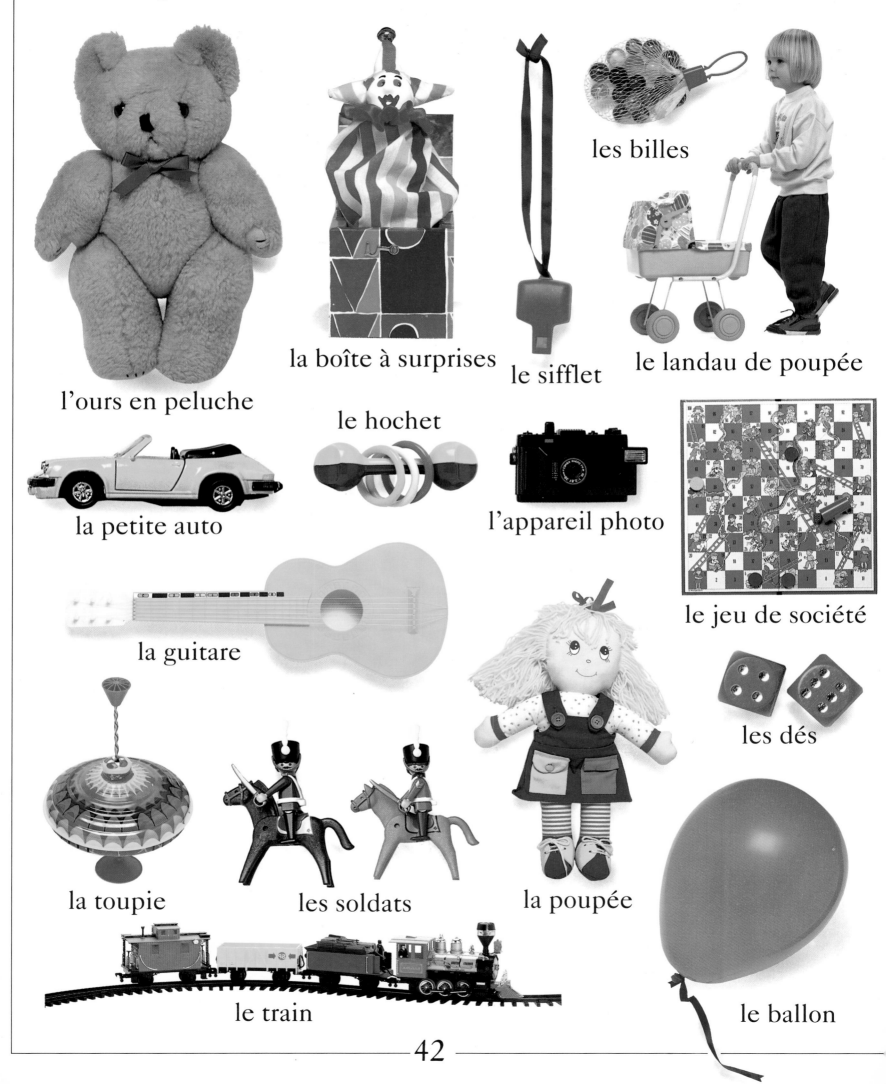

les billes

la boîte à surprises

le sifflet

le landau de poupée

l'ours en peluche

le hochet

l'appareil photo

la petite auto

le jeu de société

la guitare

les dés

la toupie

les soldats

la poupée

le train

le ballon

42

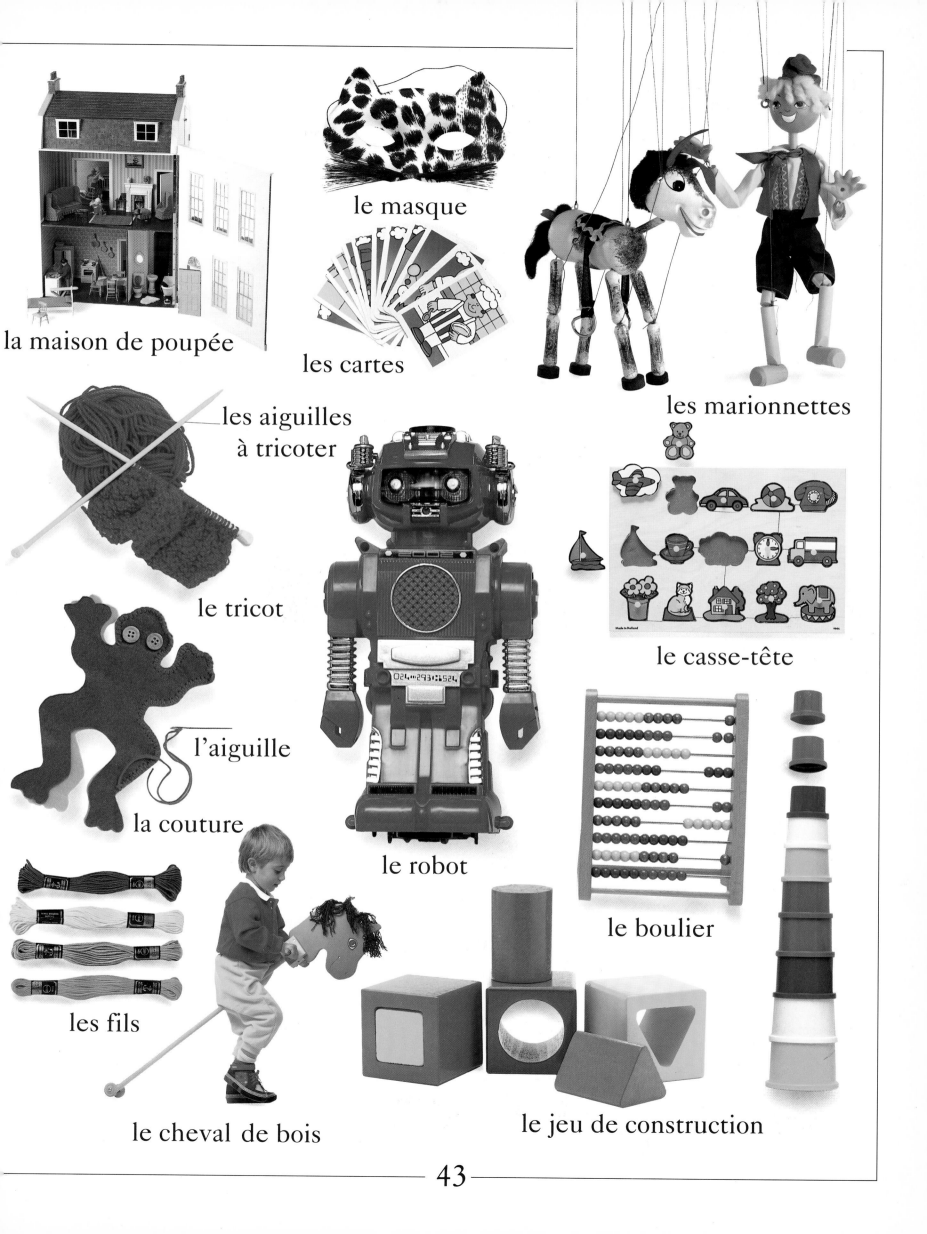

la maison de poupée

le masque

les cartes

les marionnettes

les aiguilles à tricoter

le tricot

l'aiguille

la couture

le robot

le casse-tête

le boulier

les fils

le cheval de bois

le jeu de construction

43

À l'école

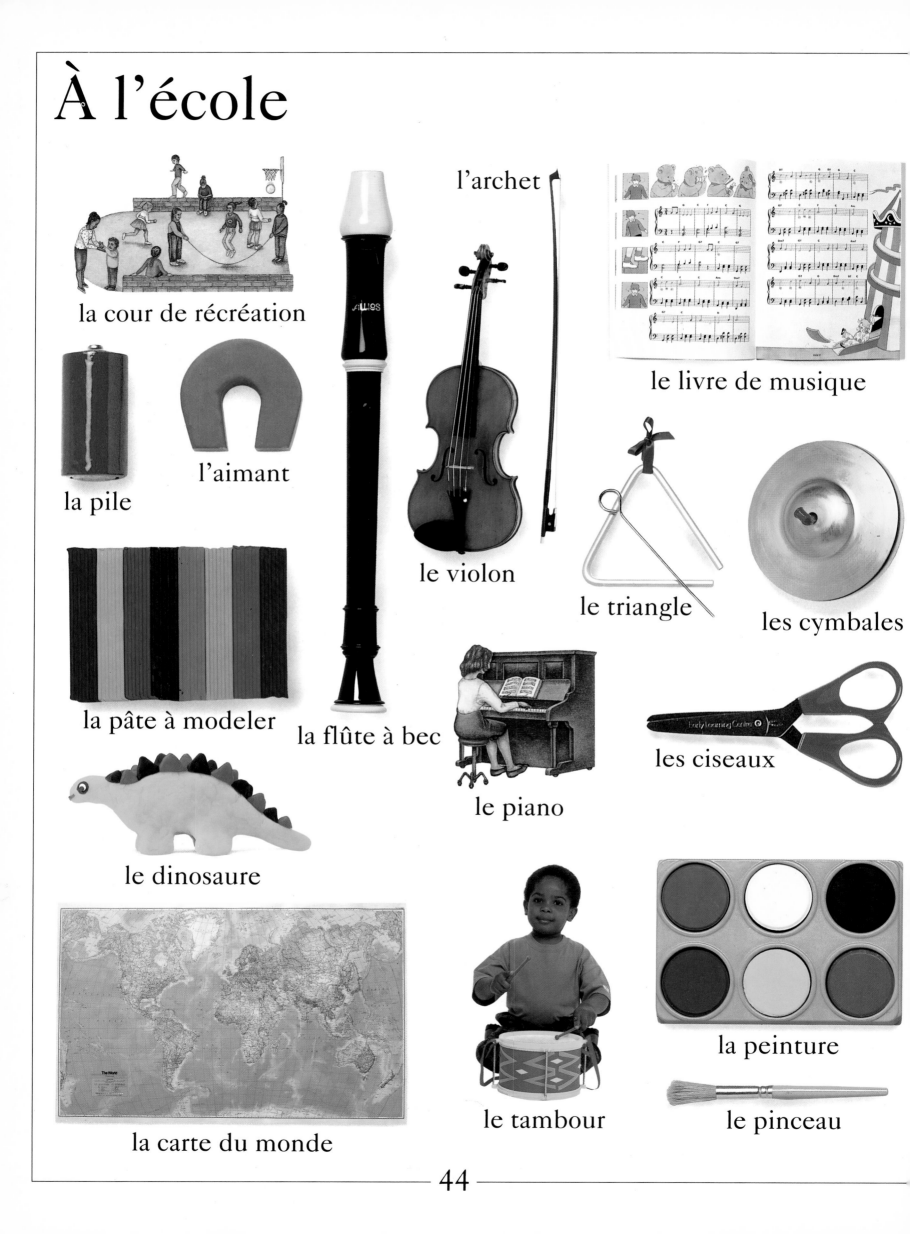

la cour de récréation

la pile

l'aimant

la pâte à modeler

le dinosaure

la carte du monde

l'archet

le violon

la flûte à bec

le piano

le tambour

le livre de musique

le triangle

les cymbales

les ciseaux

la peinture

le pinceau

les lettres

la maîtresse

écrire

les livres

le globe terrestre

la colle

la craie

le tableau noir

$$3+3=6$$
$$2\times2=4$$
$$5-3=2$$

les chiffres

le crayon

le calendrier

la gomme

le chevalet   les feuilles

dessiner

peindre

la règle

les crayons de couleur

À la mer

le drapeau

le château de sable

le moulin à vent

les petits galets

les rochers

la chaise longue

la bouée

les vagues

le coquillage

les poissons

les algues

le sable

le port

la falaise

la mer

la plage

l'étoile de mer

46

les flotteurs

les lunettes de soleil

le cornet
de crème glacée

le phare

le parasol

les mouettes

le crabe

le maillot de bain

le ballon

la pelle

l'anse

le chapeau

la voile

le seau

les fonds marins

le voilier

47

Le temps

le jour

le déjeuner

l'heure de jouer

l'heure de se coucher

la nuit

le dîner

le souper

Les jours de la semaine	
dimanche	jeudi
lundi	vendredi
mardi	samedi
mercredi	

Les mois de l'année		
janvier	mai	septembre
février	juin	octobre
mars	juillet	novembre
avril	août	décembre

La météo

le soleil

l'arc-en-ciel

le nuage

la pluie

le vent

la flaque d'eau

le bonhomme de neige

la neige

Les saisons

le printemps

l'été

l'automne

l'hiver

Mes sports préférés

le casque de football américain

le football américain

le patinage

le patin à glace

les gants de boxe

le ballon de football américain

les volants

le ski

les fléchettes

l'équitation

la raquette de badminton

le filet de pêche

la canne à pêche

le basket-ball

le tennis

le filet

le ballon de football

la raquette de tennis

la raquette de tennis de table

le cyclisme

le football

le masque

le bâton e cricket

le bâton de base-ball

les quilles

la voile

le schnorchel

le base-ball

le club de golf

la crosse de hockey sur gazon

51

Quoi faire?

lire

compter

manger

boire

prendre dans ses bras

serrer dans ses bras

pleurer

balayer

donner   prendre

pousser

tirer

regarder

murmurer

crier

écouter

parler

montrer

être debout

s'asseoir

rire

sourire

embrasser

dormir

s'étendre

courir

marcher

porter

marcher à quatre pattes

C'est l'heure de jouer

sauter
à la corde

donner un co
de pied

taper

s'amuser

grimper

construire

danser

poursuivre

sautiller

tomber

sauter

souffler

lancer

attraper

se cacher

pédaler

Drôles de personnages

le chef indien

le dragon

l'armure

le chevalier

les rennes

le traîneau

le père Noël

la fée

le pirate

la couronne

la cape

le dinosaure

le cow-boy

le monstre

le roi

la reine

l'épée

la baguette magique

le château

la sorcière

le prince

la princesse

le magicien

le haricot magique

le géant

le balai

la citrouille

Connais-tu ...

Les couleurs

le rouge

le bleu

le vert

le jaune

l'orange

le violet

le brun

le blanc

le noir

le gris

le rose

Les formes

le rectangle

le carré

le cercle

le croissant

le coeur

le losange

l'ovale

le triangle

l'étoile

Les nombres

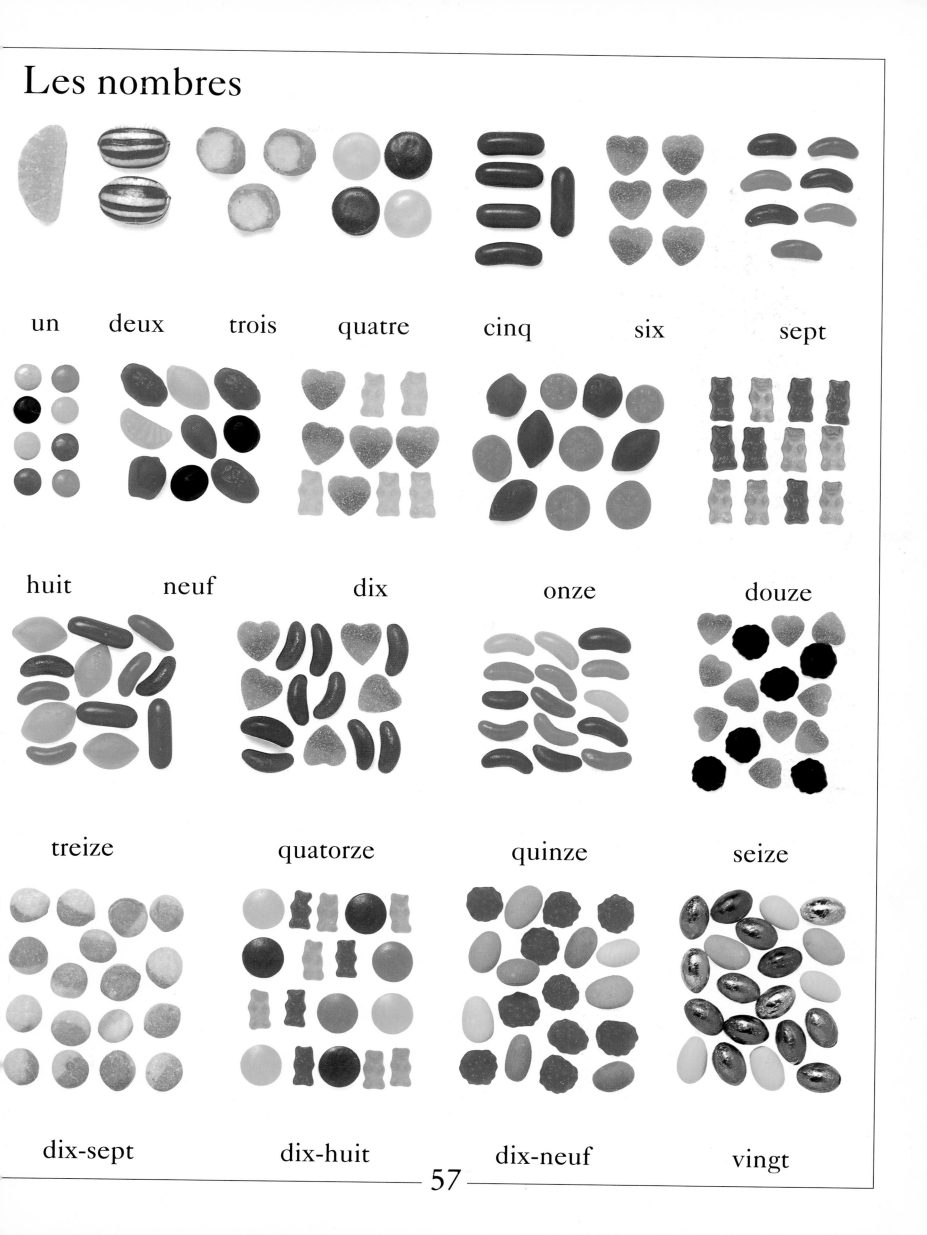

un   deux   trois   quatre   cinq   six   sept

huit   neuf   dix   onze   douze

treize   quatorze   quinze   seize

dix-sept   dix-huit   dix-neuf   vingt

Pour te situer

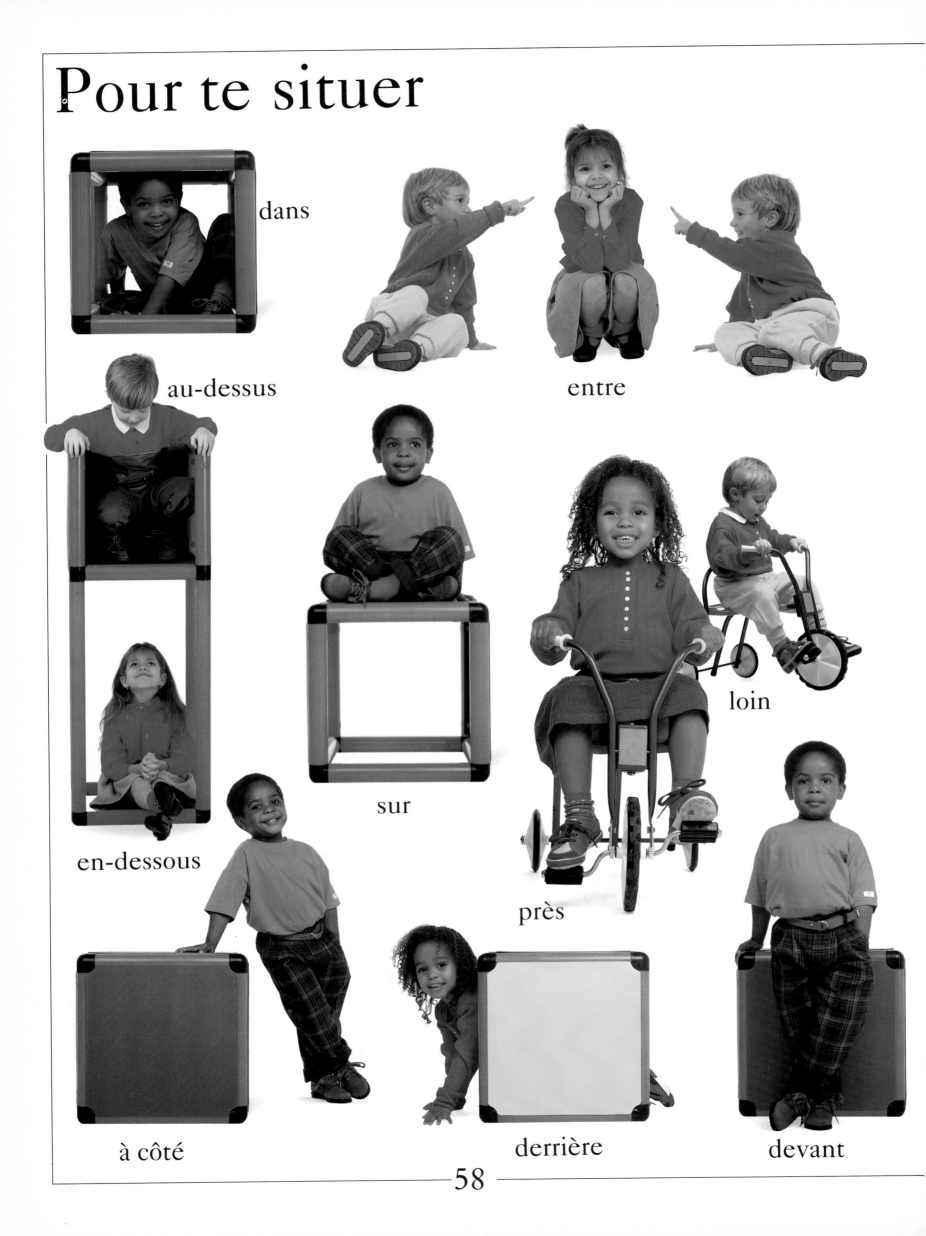

dans

au-dessus

entre

en-dessous

sur

loin

près

à côté

derrière

devant

en haut

en bas

le plus haut

(être) sur

(sauter) de

par-dessus

le plus bas

par-dessous

dernier   troisième   deuxième   premier

59

Le contraire de...c'est

triste

heureux

lisse

rugueux

étroit   large

rapide

doux   dur

réveillé

lent

plein   vide

endormi

mouillé   sec

gauche

gros

petit

ouvert

fermé

60

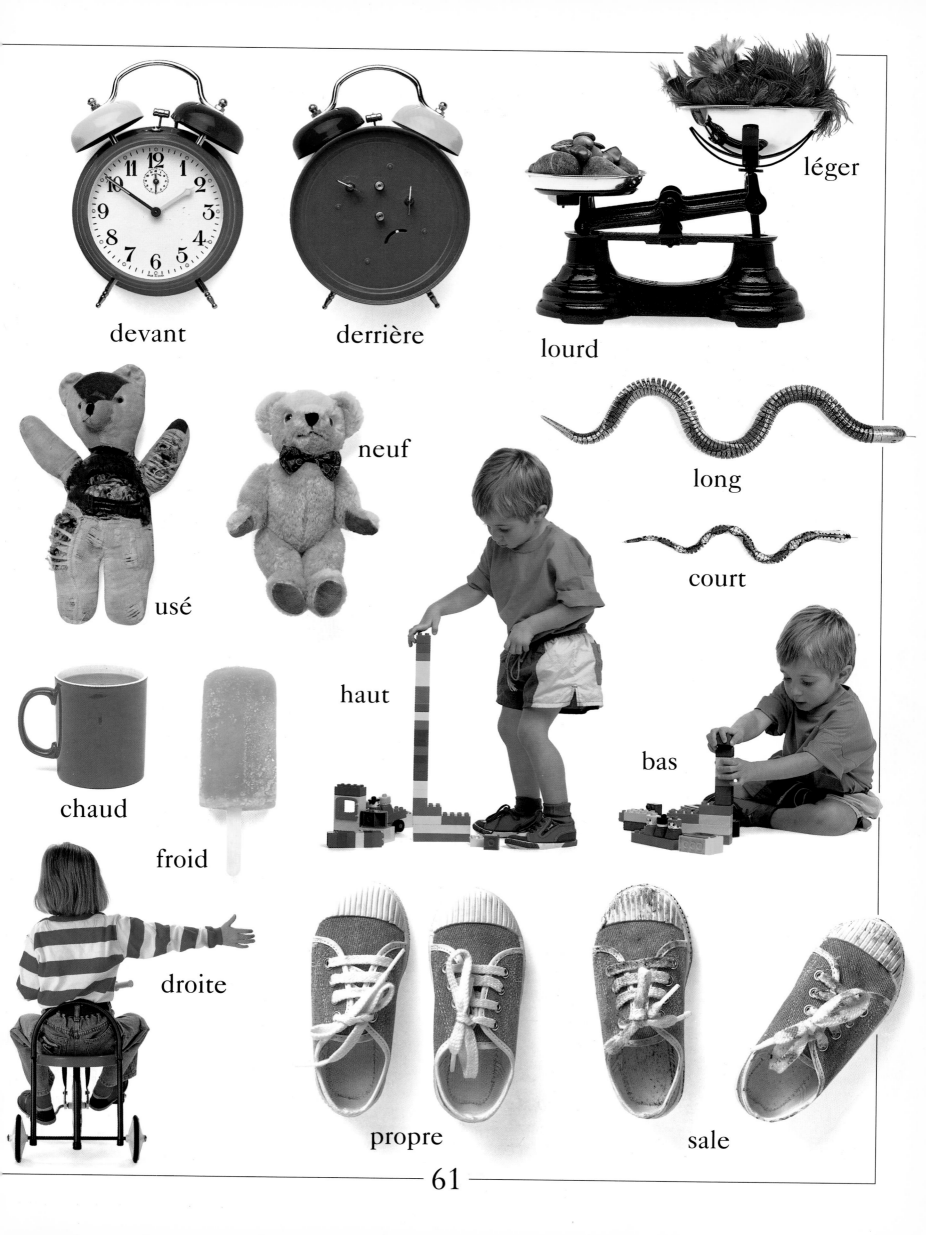

devant

derrière

léger

lourd

neuf

usé

long

court

haut

bas

chaud

froid

droite

propre

sale

61

Index

Abeille, l' (f)... 19
abreuvoir, l' (m)... 36
aéroport, l' (m)... 31
agneau, l' (m)... 36
aiguille, l' (f)... 43
aiguilles à tricoter,
    les (f)... 43
aiguilles de pin, les (f)... 34
aile, l' (f)... 28, 39
aimant, l' (m)... 44
algues, les (f)... 46
allée, l' (f)... 9
allumettes, les (f)... 13
amandes, les (f)... 14
ambulance, l' (f)... 31
ampoule, l' (f)... 11
amuser, s' ... 53
ananas, l' (m)... 26
anorak, l' (m)... 6
anse, l (f)... 47
août... 48
appareil photo, l' (m)... 42
appui de fenêtre, l' (m)... 9
aquarium, l' (m)... 38
arbre, l' (m)... 34
arc-en-ciel, l' (m)... 49
archet, l' (m)... 44
argent, l'(m)... 27
armure, l'(f)... 55
arrosoir, l'(m)... 19
aspirateur, l' (m)... 10
asseoir, s' ... 53
assiette, l' (f)... 12
attraper... 54
au-dessus... 58
autobus, l' (m)... 31
automne, l' (m)... 49
automobile, l' (f)... 30
autruche, l' (f)... 40
avion, l' (m)... 31
avril... 48
à côté ... 58

Bac à fleurs, le (m)... 9
bac à sable, le (m)... 24
baguette magique, la (f)... 55
baies, les (f)... 34
baignoire, la (f)... 8, 16
bain moussant, le (m)... 17
balai, le (m)... 12, 55
balançoire, la (f)... 25
balance, la (f)... 12
balayer... 52
balayette, la (f)... 12
balcon, le (m)... 8
ballon de football américain,
    le (m)... 50
ballon de football,
    le (m)... 51
ballon, le (m)... 42, 47
banane, la (f)... 15
banc, le (m)... 24
barrette, la (f)... 16
barrière, la (f)... 36
bas... 61
bascule, la (f)... 25
base-ball, le (m)... 51
basket-ball, le (m)... 51

basse-cour, la (f)... 36
bateau, le (m)... 30
bâton de base-ball,
    le (m)... 51
bâton de cricket, le (m)... 51
bec, le (m)... 38
benne, la (f)... 23
berline, la (f)... 28
beurre, le (m)... 14
bêche, la (f)... 19
bibliothèque, la (f)... 10
bicyclette, la (f)... 30
billes, les (f)... 42
biscuits, les (m)... 14
bison, le (m)... 41
blaireau, le (m)... 17
blanc, le (m)... 56
bleu, le (m)... 56
blé d'Inde, le (m)... 14
boire... 52
bois, le (m)... 20
boîte à lunch, la (f)... 25
boîte à surprises, la (f)... 42
boîtes de conserve,
    les (f)... 27
bol de céréales, le (m)... 13
bonbons, les (m)... 26
bonhomme de neige,
    le (m)... 49
bottes de foin, les (f)... 36
bottes, les (f)... 7
bouche, la (f)... 4
bouchon, le (m)... 17
boucle, la (f)... 6
bouée, la (f)... 46
bouilloire, la (f)... 13
boules de coton, les (f)... 16
boulier, le (m)... 43
boulon, le (m)... 21
bourgeons, les (m)... 35
bouteilles, les (f)... 27
boutons d'or, les (m)... 33
boutons, les (m)... 6
branche, la (f)... 34
bras de la grue, le (m)... 23
bras, le (m)... 5
bretelles, les (f)... 6
brindille, la (f)... 35
briques, les (f)... 23
brosse à dents, la (f)... 16
brosse à ongles, la (f)... 17
brosse, la (f)... 16
brouette, la (f)... 19
brun, le (m)... 56
buisson, le (m)... 8
bulbes, les (m)... 18
bulldozer, le (m)... 30
bulles, les (f)... 17
burette d'huile, la (f)... 21

Cabine téléphonique,
    la (f)... 22
cacher, se ...54
café, le (m)... 26
cage à poules, la (f)... 25
cage, la (f)... 39
caisse, la (f)... 27
caisse enregistreuse,

la (f)... 27
caissière, la (f)... 27
calendrier, le (m)... 45
camion à benne, le (m)... 31
camion, le (m)... 30
camionnette, la (f)... 31
camping, le (m)... 33
canapé, le (m)... 8, 10
canard, le (m)... 17
canari, le (m)... 39
cane, la (f)... 37
canetons, les (m)... 37
canif, le (m)... 20
canne à pêche, la (f)... 50
cape, la (f)... 55
capot, le (m)...28
capucines, les (f)... 19
carafe, la (f)... 12
carapace, la (f)... 38
cardigan, le (m)... 6
carotte, la (f)... 15
carré, le (m)... 56
carte du monde, la (f)... 44
cartes, les (f)... 43
carton, le (m)... 27
casque de football américain,
    le (m)... 50
casquette, la (f)... 7
casse-tête, le (m)... 43
casserole, la (f)... 13
cassis, les (m)... 26
cave, la (f)... 8
ceinture de sécurité,
    la (f)... 29
ceinture, la (f)... 6
cercle, le (m)... 56
cerf-volant, le (m)... 24
cerises, les (f)... 26
céleri, le (m)... 27
céréales, les (f)... 26
chaise haute, la (f)... 13
chaise longue, la (f)... 46
chaise, la (f)... 11
chambre à coucher, la (f)... 8
champ de blé, le (m)... 36
champignons vénéneux,
    les (m)... 35
champignons, les (m)... 33
chandail, le (m)... 7
chantier de construction,
    le (m)... 23
chapeau de paille, le (m)... 6
chapeau, le (m)... 47
chariot, le (m)... 27
charrue, la (f)... 37
chat, le (m)... 38
châtaignes, les (f)... 35
château de sable, le (m)... 46
château, le (m)... 55
chatons, les (m)... 39
chaud... 61
chaussettes, les (f)... 6
chaussures, les (f)... 6
chef indien, le (m)... 55
cheminée, la (f)... 9
chemise de nuit, la (f)... 7
chemisette, la (f)... 7
chenilles, les (f)... 35

chéquier, le (m)... 27
cheval de bois,
    le (m)... 36, 43
chevalet, le (m)... 45
chevalier, le (m)... 55
cheveux, les (m)... 4
cheville, la (f)... 5
chéquier, le (m)... 27
chèvre, la (f)... 36
chien, le (m)... 37, 39
chiffres, les (m)... 45
chimpanzé, le (m)... 40
chiots, les (m)... 38
chope, la (f)... 13
chou, le (m)... 27
chute d'eau, la (f)... 33
cils, les (m)... 4
cinéma, le (m)... 22
cinq... 57
cintre, le (m)... 7
ciseau à bois, le (m)... 21
ciseaux, les (m)... 44
citron, le (m)... 26
citrouille, la (f)... 55
clé à molette, la (f)... 20
clé de contact, la (f)... 28
clé plate, la (f)... 21
clés, les (f)... 11
clignotant, le (m)... 28
clôture, la (f)... 36
clous de tapissier,
    les (m)... 21
clous, les (m)... 20
club de golf, le (m)... 51
coccinelle, la (f)... 18
cochon d'Inde, le (m)... 38
coeur, le (m)... 56
coffre à outils, le (m)... 20
coffre, le (m)... 29
colle, la (f)... 45
collant, le (m)... 7
collier, le (m)... 6, 39
collines, les (f)... 32
commode, la (f)... 11
comprimés, les (m)... 11
compter... 52
concombre, le (m)... 27
cones de signalisation,
    les (m)...   23
construire... 54
coq, le (m)... 37
coquetier, le (m)... 12
coquillage, le (m)... 46
corbeille, la (f)... 39
corde à sauter, la (f)... 25
corde, la (f)... 21
cornes, les (f)... 40
cornet de crème glacée,
    le (m)... 47
coton-tige, le (m)... 17
cou, le (m)... 5
coude, le (m)... 5
coupé avec hayon,
    le (m)... 29
cour de récréation, la (f)... 44
courgettes, les (f)... 27
courir... 53
couronne, la (f)... 55

court... 61
coussin, le (m)... 11
couteau, le (m)... 12
couture, la (f)... 43
couverture, la (f)... 11
couvre-lit, le (m)... 11
cow-boy, le (m)... 55
crabe, le (m)... 47
craie, la (f)... 45
crapaud, le (m)... 32
crayon, le (m)... 45
crayons de couleur,
    les (m)... 45
crème glacée, la (f)...15
crier... 53
crinière, la (f)... 39
crocodile, le (m)... 40
croissant, le (m)... 56
crosse de hockey sur gazon,
    la (f)... 51
croustilles, les (f)... 15
cuillère, la (f)... 12
cuisine, la (f)... 8
cuisinière, la (f)... 8, 12
culotte, la (f)... 6
cyclisme, le (m)... 51
cygne, le (m)... 25
cymbales, les (f)... 44

Dans... 58
danser... 54
dauphin, le (m)... 40
de, sauter ...59
deltaplane, le (m)... 31
dents, les (f)... 4
dernier ... 59
derrière... 58, 61
dessiner... 45
deux... 57
deuxième... 59
devant... 58, 61
débarbouillette, la (f)... 17
décapotable, la (f)... 29
décembre... 48
défense, la (f)... 41
déjeuner, le (m)... 48
dés, les (m)... 42
désodorisant, le (m)... 16
détergent, le (m)... 26
détersif, le (m)... 27
dimanche... 48
dinosaure, le (m)... 44, 55
dirigeable, le (m)... 30
dix-huit... 57
dix-neuf... 57
dix-sept... 57
dix... 57
dîner, le (m)... 48
doigt, le (m)... 4
donner... 52
donner un coup de
    pied ... 54
dormir... 53
dos, le (m)... 5
douche, la (f)... 17
doux... 60
douze... 57
dragon, le (m)... 55

drapeau, le (m)... 46
droite... 61
dromadaire, le (m)... 41
dur... 60

Eau, l' (f)... 16
écailles, les (f) ...40
échafaudage, l' (m)... 23
écharpe, l' (f)... 7
échelle, l' (f)... 21
écorce, l' (f)... 35
écouter... 53
écrire... 45
écrou, l' (m)... 21
écureuil, l' (m)... 34
écurie, l' (f)... 37
égouttoir, l' (m)... 13
éléphant, l' (m)... 41
embrasser... 53
en bas... 59
en haut... 59
en-dessous... 58
endormi... 60
enfants, les... 24
enjoliveur de roue,
    l (m)'... 28
entre... 58
épaule, l (f)'... 5
épée, l' (f)... 55
éponges, les (f)... 16
équitation, l' (f)... 50
escabeau, l' (m)... 21
escargot, l' (m)... 19
essuie-glace, l' (m)... 29
établi, l' (m)... 20
étagère, l' (f)... 20
été, l' (m)... 49
étendre, s' ...53
étoile de mer, l' (f)... 46
étoile, l' (f)... 56
étroit... 60
évier, l' (m)... 13
être debout... 53

Falaise, la (f)... 46
farine, la (f)... 26
fauteuil, le (m)... 10
fée, la (f)... 55
fenêtre, la (f)... 9
fer à repasser, le (m)... 13
ferme, la (f)... 36
fermé... 60
fesses, les (f)... 5
feu de circulation,
    le (m)... 23
feuilles, les (f)... 35, 45
feu arrière, le (m)... 29
février... 48
ficelle, la (f)... 18
fil de fer, le (m)... 21
filet de pêche, le (m)... 50
filet, le (m)... 51
fille, la (f)... 9
fils, le (m)... 9
fils, les (m)... 43
flaque d'eau, la (f)... 49
fleur, la (f)... 18
fleurs, les (f)... 24
fléchettes, les (f)... 50
flotteurs, les (m)... 47
flûte à bec, la (f)... 44

fonds marins, les (m)... 47
fontaine, la (f)... 24
football américain,
    le (m)... 50
football, le (m)... 51
forêt, la (f)... 35
fougères, les (f)... 32
four, le (m)... 12
fourchette, la (f)... 12
fourmis, les (f)... 19
foyer, le (m)... 8
fraises, les (f)... 15
framboises, les (f)... 26
frein à main, le (m)... 29
frites, les (f)... 14
froid... 61
fromages, les (m)... 27
front, le (m)... 4
fusée, la (f)... 31

Gant de cuisine, le (m)... 12
gants de boxe, les (m)... 50
gants de caoutchouc,
    les (m)... 12
gants, les (m)... 7
garage, le (m)... 9
gauche... 60
gazelle, la (f)... 40
gazon, le (m)... 19
genou, le (m)... 5
géant, le (m)... 55
génoise, la (f)... 15
girafe, la (f)... 40
glands, les (m)... 34
globe terrestre, le (m)... 45
gomme, la (f)... 45
gouttière, la (f)... 8
graines, les (f)... 19
grand bol, le (m)... 13
grand-mère, la (f)... 9
grand-père, le (m)... 9
grange, la (f)... 37
gratte-ciel, le (m)... 23
grenier, le (m)... 8
grenouille, la (f)... 17
griffes, les (f)... 39
grimper... 54
gris, le (m)... 56
gros... 60
grue, la (f)... 23
guêpe, la (f)... 18
guitare, la (f)... 42

Habit de neige, l' (m)... 7
haie, la (f)... 9
hamburger, le (m)... 14
hamsters, les (m)... 38
hanche, la (f)... 5
haricots verts, les (m)... 27
haricots, les (m)... 15
haut... 61
hélicoptère, l' (m)... 31
heure de jouer, l' (f)... 48
heure de se coucher,
    l' (f)... 48
heureux ... 60
hibou, le (m)... 34
hippopotame, l' (m)... 40
hiver, l' (m)... 49
hochet, le (m)... 42
hot-dogs, les (m)... 14

hôtel de ville, l' (m)... 22
huile, l' (f)... 26
huit... 57

Île, l' (f)... 32
immeuble, l' (m)... 22
imperméable, l' (m)... 7
indicateur de vitesse,
    l' (m)... 28

Jambe, la (f)... 5
jambon, le (m)... 15
janvier... 48
jaune, le (m)... 56
jean, le (m)... 6
jeep, la (f)... 29
jeu de construction,
    le (m)... 43
jeu de société, le (m)... 42
jeudi... 48
jeune cygne, le (m)... 48
jointure, la (f)... 4
jonquilles, les (f)... 19
joue, la (f)... 4
jour, le (m)... 48
juillet... 48
juin... 48
jupe, la (f)... 7
jupon, le (m)... 7
jus d'orange, le (m)... 14

Kangourou, le (m)... 40
kiosque, le (m)...22
koala, le (m)... 41

Lac, le (m)... 32
laisse, la (f)... 39
lait, le (m)... 14
lampadaire, le (m)... 23
lampe, la (f)... 11
lancer... 54
landau de poupée,
    le (m)... 42
landau, le (m)... 25
lapin, le (m)... 32
large... 60
lavabo, le (m)... 16
lave-auto, le (m)... 29
le plus bas ... 59
le plus haut ... 59
léger... 61
lent... 60
léopard, le (m)... 40
lettres, les (f)... 45
levier de vitesse, le (m)... 29
lèvre, la (f)... 4
lézard, le (m)... 41
libellule, la (f)... 32
lierre, le (m)... 35
lime, la (f)... 20
limousine, la (f)... 28
lion, le (m)... 41
lire... 52
lisse... 60
lit, le (m)... 8, 11
livre de musique, le (m)... 44
livre, le (m)... 10
livres, les (m)... 45
locomotive, la (f)... 31
loin... 58
long ... 61

losange, le (m)... 56
lourd... 61
lundi... 48
lunettes de soleil, les (f)... 47

Machine à coudre,
    la (f)... 10
machine à laver, la (f)... 13
magicien, le (m)... 55
mai... 48
maillot de bain, le (m)... 47
maillot de corps, le (m)... 6
main, la (f)... 5
maison de poupée, la (f)... 43
maîtresse, la (f)... 45
maïs, le (m)... 14
maïs soufflé, le (m)... 15
manger... 52
manteau, le (m)... 7
maquillage, le (m)... 17
marche, la (f)... 8
marcher à quatre pattes... 53
marcher... 53
marches, les (f)... 9
mardi... 48
mare, la (f)... 37
marguerites, les (f)... 33
marionnettes, les (f)... 43
mars... 48
marteau, le (m)... 20
masque, le (m)... 43, 51
mauvaises herbes,
    les (f)... 19
menton, le (m)... 4
mer, la (f)... 46
mercredi... 48
mère, la (f)... 9
mètre à ruban, le (m)... 20
miel, le (m)... 14
miroir, le (m)... 17
mitaines, les (f)... 7
mixeur, le (m)... 12
moissonneuse-batteuse,
    la (f)... 37
monstre, le (m)... 55
montagne, la (f)... 32
montgolfière, la (f)... 31
montre, la (f)... 6
montrer... 53
moteur, le (m)... 28
motocyclette, la (f)... 30
mouchoirs de papier,
    les (m)... 17
mouettes, les (f)... 47
mouillé... 60
moule à gateau, le (m)... 13
moules à biscuit, les (m)... 13
moulin à vent, le (m)... 46
mousse à raser, la (f)... 17
mousse, la (f)... 35
moustaches, les (f)... 38
mouton, le (m)... 36
mur, le (m)... 9
murmurer... 53
mûres, les (f)... 33

Nageoire, la (f)... 40
napperon, le (m)...12
narine, la (f)... 4
neige, la (f)... 49
nénuphars, les (m)... 32

neuf... 57, 61
nez, le (m)... 4
nid d'oiseau, le (m)... 34
niveau, le (m)... 20
noir, le (m)... 56
noisettes, les (f)... 35
nombril, le (m)... 5
novembre... 48
nuage, le (m)... 49
nuit, la (f)... 48

Octobre... 48
oeil, l' (m)... 4
oeuf dur, l' (m)... 15
oeufs d'oiseau, les (m)... 34
oie, l' (f)... 36
oignon, l' (m)... 27
oiseau, l' (m)... 34
oisillons, les (m)... 34
ongle, l' (m)... 4
onze... 57
orange, l' (f)... 26, 56
ordinateur, l' (m)... 11
oreille, l' (f)... 4
oreiller, l' (m)... 11
orteil, l' (m)... 5
os, l' (m)... 39
ours en peluche, l' (m)... 42
ours polaire, l' (m)... 41
ours, l' (m)... 40
outils de jardin, les (m)... 18
ouvert... 60
ovale, l' (m)... 56

Paillasson, le (m)... 10
pain aux raisins, le (m)... 15
pain, le (m)... 15
panda, le (m)... 41
panier à pique-nique,
    le (m)...24
panier à provisions,
    le (m)... 26
pansements, les (m)... 11
pantalon, le (m)... 6
pantoufles, les (f)... 6
paon, le (m)... 40
papier de toilette, le (m)... 26
papier de verre, le (m)... 21
papier peint, le (m)... 8
papillon de nuit, le (m)... 35
papillon, le (m)... 19
par-dessous... 59
par-dessus... 59
parachutes, les (m)... 30
parapluie, le (m)... 7
parasol, le (m)... 47
parcmètre, le (m)... 23
pare-brise, le (m)... 29
pare-chocs, le (m)... 28
parfum, le (m)... 16
parler... 53
passoire, la (f)... 12, 13
pâte à modeler, la (f)... 44
pâte dentifrice, la (f)... 16
patin à glace, le (m)... 50
patinage, le (m)... 50
patins à roulettes,
    les (m)... 24
patte, la (f)... 39
paume, la (f)... 4
pêches, les (f)... 26

pédaler... 54
peigne, le (m)... 16
peindre... 45
peinture, la (f)... 44
pélican, le (m)... 40
pelle, la (f)... 12, 47
pelleteuse, la (f)... 30
pelouse, la (f)... 18
pensées, les (f)... 18
perceuse, la (f)... 20
perchoir, le (m)... 39
perroquets, les (m)... 38
perruche, la (f)... 39
pétale, le (m)... 18
petit... 60
petite auto, la (f)... 42
petits galets, les (m)... 46
petits pois, les (m)... 14
père, le (m)... 9
père Noël, le (m)... 55
phare, le (m)... 29, 47
piano, le (m)... 44
pied, le (m)... 5
pigeons, les (m)... 25
pile, la (f)... 44
pinceau, le (m)... 44
pinces, les (f)... 20
pingouin, le (m)... 41
pique-nique, le (m)... 24
pirate, le (m)... 55
piscine, la (f)... 22
pissenlit, le (m)... 33
pivert, le (m)... 35
pizza, la (f)... 14
placard, le (m)... 11, 13
place du marché, la (f)... 22
plafond, le (m)... 8
plage, la (f)... 46
planche à repasser, la (f)... 13
planche à roulettes, la (f)... 25
planche, la (f)... 21
plancher, le (m)... 8
planeur, le (m)... 31
plante en fleur, la (f)... 34
plante en pot, la (f).. 19
plaque d'immatriculation, la (f)... 29
plein... 60
pleurer... 52
pluie, la (f)... 49
plumes, les (f)... 38
pneu, le (m)... 28
poêle, la (f)... 12
poignet, le (m)... 4
poil, le (m)...39
poires, les (f)... 14
poisson, le (m)... 26
poissons rouges, les (m)... 38
poissons, les (m)... 46
poitrine, la (f)... 5
poivron vert, le (m)... 27
pommes de pin, les (f)... 34
pommes de terre, les (f)... 27
pommes, les (f)... 14
pompe à essence, la (f)... 22
poney, le (m)... 39
pont, le (m)... 32
porcelets, les (m)... 36
porche, le (m)... 9
porcherie, la (f)... 36

port, le (m)... 46
porte, la (f)... 9
porte-monnaie, le (m)... 27
porter... 53
portière, la (f)... 28
poste, la (f)... 23
pot de confiture, le (m)... 26
pot de crème, le (m)... 17
pot, le (m)... 16
pots de fleurs, les (m)... 18
poubelle, la (f)... 13
pouce, le (m)... 4
poulailler, le (m)... 37
poule, la (f)... 37
poupée, la (f)... 42
poursuivre... 54
pousser... 52
poussette, la (f)... 24
poussin, le (m)... 37
pré, le (m)... 36
premier... 59
prendre dans ses bras... 52
prendre... 52
près... 58
prince, le (m)... 55
princesse, la (f)... 55
printemps, le (m)... 49
propre... 61
prunes, les (f)... 34
pyjama, le (m)... 6

Quatorze... 57
quatre... 57
queue, la (f)... 38
quilles, les (f)... 51
quinze... 57

Rabot, le (m)... 20
racines, les (f)... 35
radiateur, le (m)... 10
radio, la (f)... 10
raisin, le (m)... 26
raisins secs, les (m)... 15
rampe d'escalier, la (f)... 8
rapide... 60
raquette de badminton, la (f)... 50
raquette de tennis de table, la (f)... 51
raquette de tennis, la (f)... 51
rasoir, le (m)... 17
râteau, le (m)... 19
rectangle, le (m)... 56
regarder... 52
règle, la (f)... 45
reine, la (f)... 55
remorque, la (f)... 36
renard, le (m)... 33
rennes, les (m)... 55
requin, le (m)... 40
restaurant, le (m)... 22
réfrigérateur, le (m)... 12
réservoir à essence, le (m)... 28
réveil, le (m)... 11
réveillé... 60
rhinocéros, le (m)... 41
rideaux, les (m)... 10
rire... 53
rivière, la (f)... 32
riz, le (m)... 15

robe de chambre, la (f)... 7
robe, la (f)... 7
robinet, le (m)... 16
robot, le (m)... 43
rochers, les (m)... 46
roi, le (m)... 55
rond-point, le (m)... 23
rose, la (f)... 18
rose, le (m)...56
rouge à lèvres, le (m)... 17
rouge, le (m)... 56
rouleau à pâtisserie, le (m)... 17
roulotte, la (f)... 33
route, la (f)... 23, 33
rôties, les (f)... 15
rubans, les (m)... 16
rugueux... 60
ruisseau, le (m)... 32

Sable, le (m)... 46
sabot, le (m)... 39
sac en papier, le (m)... 27
salade de fruits, la (f)... 15
salade, la (f)... 14, 27
sale... 59
salle de bain, la (f)... 8
salle de séjour, la (f)... 8
salopette, la (f)... 6
samedi... 48
sandales, les (f)... 6
sandwich, le (m)... 14
sauter à la corde... 54
sauter... 54
sautiller... 54
savon, le (m)... 17
scarabée, le (m)... 35
schnorchel, le (m)... 51
scie à métaux, la (f)... 20
scie, la (f)... 21
sciure, la (f)... 21
scooter, le (m)... 30
seau, le (m)... 47
sec... 60
sécateur, le (m)... 18
séchoir à cheveux, le (m)... 10
seize... 57
semis, les (m)... 19
sept... 57
septembre... 48
serpent, le (m)... 41
serre, la (f)... 19
serre-tête, le (m)... 16
serrer dans ses bras... 52
serrure, la (f)... 28
serviette de table, la (f)... 12
serviette, la (f)... 16
shampooing, le (m)... 16
short, le (m)... 6
sifflet, le (m)... 42
sirop, le (m)... 11
six... 57
ski, le (m)... 50
slip, le (m)... 6
soldats, les (m)... 42
soleil, le (m)... 49
sorcière, la (f)... 55
soucoupe, la (f)... 13
souffler... 54
souper, le (m)... 48

sourcil, le (m)... 4
sourire... 53
souris, la (f)... 39
sous-marin, le (m)... 30
spaghettis, les (m)... 15
stade, le (m)... 23
station-service, la (f)... 22
statue, la (f)... 24
sucre, le (m)... 14
sur... 58
sûr, être ...59
survêtement, le (m)... 7

Table, la (f)... 11
tableau de bord, le (m)... 28
tableau noir, le (m)... 45
tableau, le (m)... 10
tablette de chocolat, la (f)...27
tablier, le (m)... 12
tabouret, le (m)... 10
talc, le (m)... 16
talon, le (m)... 5
tamanoir, le (m)... 41
tambour, le (m)... 44
taper... 54
tapis de bain, le (m)... 16
tapis, le (m)... 8
tartelettes, les (f)... 14
tasse, la (f)... 13
taureau, le (m)... 37
taxi, le (m)... 30
tee-shirt, le (m)... 6
téléphone, le (m)... 10
télévision, la (f)... 11
tennis, le (m)... 51
tennis, les (m)... 6
tente, la (f)... 33
terre, la (f)... 18
têtards, les (m)... 38
tête, la (f)... 5
thermomètre, le (m)... 11
thermos, le (m)... 25
théâtre, le (m)... 22
théière, la (f)... 13
tige, la (f)... 18
tigre, le (m)... 40
tirer... 52
toboggan, le (m)... 25
toilettes, les (f)... 17
toit, le (m)... 9, 29
tomates, les (f)... 14
tomber... 54
tondeuse, la (f)... 18
tortue, la (f)... 38
toupie, la (f)... 42
tourne-disque, le (m)... 10
tournesol, le (m)... 18
tournevis, le (m)... 21
tourniquet, le (m)... 24
tracteur, le (m)... 36
train, le (m)... 31, 42
traîneau, le (m)... 55
traversier, le (m)... 30
treize... 57
triangle, le (m)... 44, 56
tricot, le (m)... 43
tricycle, le (m)... 24
triste... 60
trois... 57
troisième... 59

trompe, la (f)... 41
tronc d'arbre, le (m)... 34
trousse de maquillage, la (f)...   16
truie, la (f)... 36
tulipes, les (f)... 19
tuque, la (f)... 6
tuteurs, les (m)... 18
tuyau d'arrosage, le (m)... 19
tuyau de drainage, le (m)... 8

Un... 57
usé... 61
usine, l' (f)... 23

Vache, la (f)... 37
vadrouille, la (f)... 13
vagues, les (f)... 46
vallée, la (f)... 32
veau, le (m)... 37
vendeur de crème glacée, le (m)... 25
vendredi... 48
vent, le (m)... 49
ventre, le (m)... 5
verger, le (m)... 32
verre, le (m)... 13
vers de terre, les (m)... 19
vert, le (m)... 56
viande, la (f)... 26
vide... 60
village, le (m)... 32
vingt... 57
violet, le (m)... 56
violon, le (m)... 44
vis, les (f)... 21
visage, le (m)... 5
voie ferrée, la (f)... 30
voile, la (f)... 47, 51
voilier, le (m)... 47
voiture de collection, la (f)... 29
voiture de course, la (f)... 31
voiture de police, la (f)... 31
voiture de pompiers, la (f)... 31
voiture de sport, la (f)... 28
voiture des quatre saisons, la (f)... 22
voiture familiale, la (f)... 29
volant, le (m)... 28
volants, les (m)... 50
volet, le (m)... 8

Wagons, les (m)... 30

Yogourt, le (m)... 15

Zèbre, le (m)... 41

Autres photographies
J. Foord, S. Gorton, P. Bricknell,
P. Dowell, M. Dunning, S. Oliver,
S. Shott, J. Young

Autres illustrations
D. Gillingwater, M. Earey
Lettres de couverture: Fisher Price

L'éditeur tient à remercier
H. Drew, B. Griver, L. Bellamy,
C. Berzon, L. Douglas, C. Harris,
H. Jackman, A. Linnet, P. Miller,
R. Nagle, H.Patel, S.Priddy, K. Swan,
G. et E. Wilkes et K. Yarde pour leur
aimable collaboration.